WILFRIED GROLL

ERNST TROELTSCH UND KARL BARTH —
KONTINUITÄT IM WIDERSPRUCH

Beiträge zur evangelischen Theologie
Theologische Abhandlungen. Begründet von Ernst Wolf
Herausgegeben von Eberhard Jüngel und Rudolf Smend

Band 72

WILFRIED GROLL

Ernst Troeltsch und Karl Barth - Kontinuität im Widerspruch

CHR. KAISER VERLAG MÜNCHEN

1976

CIP-Kurztitelaufnahme der Deutschen Bibliothek

Groll, Wilfried
Ernst Troeltsch und Karl Barth —
Kontinuität und Widerspruch
(Beiträge zur evangelischen Theologie: Bd. 72)

ISBN 3—459—01045—2

VORWORT

Unter dem Titel: „Der theologiegeschichtliche Zusammenhang von Ernst Troeltsch und Karl Barth" hat diese Arbeit 1974 der Evangelisch-Theologischen Fakultät der Universität München als Dissertation vorgelegen. Die grundlegenden Ideen dieser Arbeit verdanke ich Gesprächen mit Herrn Prof. Dr. T. Rendtorff in München. Er hat mit Umsicht und Geduld die Durchführung des Projektes begleitet, auch dann noch, als ich nach zwei Jahren in München nach Münster verzog. Ich möchte ihm hier meine Dankbarkeit bekunden.
Die Ausführung der Arbeit wurde durch ein Stipendium der Studienstiftung des deutschen Volkes ermöglicht, die Drucklegung durch einen Druckkostenzuschuß der Fritz Thyssen Stiftung sowie der Evangelischen Kirche von Westfalen. Dafür sei an dieser Stelle Dank gesagt.
Einen speziellen Dank für Aufmunterungen und Unterstützung während der Arbeit schulde ich meinen Eltern in Dortmund und Gertrud, meiner Frau.

Münster, im Januar 1976   Wilfried Groll

INHALT

8

EINLEITUNG: ORT UND METHODE DER ARBEIT

Der theologiegeschichtliche Zusammenhang von Ernst Troeltsch und Karl Barth steht dem gegenwärtigen theologischen Bewußtsein in der Regel in der Form des Gegensatzes vor Augen. Eine „Untersuchung über K. Barth und E. Troeltsch kann ich nicht nennen", stellt K.G. Steck in einem Heft der „Theologischen Existenz heute" noch 1973 fest und spricht den kritischen Punkt an, an dem dieser Gegensatz seine Bestimmtheit zu haben scheint: „Das neuzeitliche Christentum zu thematisieren, war Sache des Neuprotestantismus, war die Leistung von Ernst Troeltsch, und zu keinem Theologen seiner Zeit stand Barth in stärkerem Gegensatz als gerade zu Ernst Troeltsch. Was soll also Neuzeit als Thema Karl Barths?"[1] Diese letzte Frage ist nun aber ihrerseits bereits Ausdruck eines neueren Problembewußtseins, das sich nicht mehr mit der Feststellung des epochalen Gegensatzes zwischen Barth und Troeltsch begnügt, sondern die darin verbleibende Kontinuität der theologischen Fragestellung thematisiert. T. Rendtorff hat in seiner Arbeit „Kirche und Theologie. Die systematische Funktion des Kirchenbegriffs in der neueren Theologie" (1966) dazu einen ersten theologiegeschichtlichen Beitrag geleistet. Seine Aufsätze „Radikale Autonomie Gottes" und „Kritik und Konstruktion" von 1969 und 1972 führen diese Untersuchung mit Zuspitzung auf die Subjektivitätsproblematik weiter, letzterer mit ausdrücklicher Reflexion auf das Verhältnis von Troeltsch und Barth[2]. Gegen die von F. Wagner in weitgehender Übereinstimmung mit Rendtorff in der ZEE 1973 vertretene These, „daß die dialektische Theologie die positionelle Theologie des 19. Jahrhunderts radikalisiere, indem sie Selbstbestimmung auf unbedingte Weise thematisiert"[3], ist inzwischen von F.W. Marquardt der Einwand erhoben worden, in ihr seien „die historische mit der dogmatischen Situation ... abstrakt ineinander" gebracht und nicht „dialektisch vermittelt" verstanden[4], so daß in der gegenwärtigen

---

1 K.G. Steck / D. Schellong, Karl Barth und die Neuzeit (ThEx 173), 8 Anm. 4.
2 T. Rendtorff, Theorie des Christentums. Historisch-theologische Studien zu seiner neuzeitlichen Verfassung, 1972, 161—181 und 182—200.
3 F. Wagner, Gehlens radikalisierter Handlungsbegriff. Ein theologischer Beitrag zur interdisziplinären Forschung, ZEE 17, 1973, Heft 4, 213—216.
4 F.W. Marquardt, Zusätze zu Falk Wagners Aufsatz: ‚Gehlens radikalisierter Handlungsbegriff', Karl Barth betreffend, ZEE 17, 1973, Heft 4, 230—237.

Diskussionslage eine Untersuchung des Zusammenhangs von Troeltsch und Barth auch in dieser Hinsicht einen Beitrag leisten könnte, wie nämlich, wenn auch nur auf dem Boden der der Theologie selbst eigenen Praxis, die historische und dogmatische Situation ineinander vermittelt seien.

In der hier vorgelegten theologiegeschichtlichen Arbeit ist schon im methodischen Ansatz eine Verbindung historischer und systematischer Fragestellungen intendiert. Die Theologie Troeltschs und Barths wird nicht einem Systemvergleich unterworfen[5], der davon absehen kann, wie beider Werke geschichtlich zueinander stehen. Auch soll der Zusammenhang von Troeltsch und Barth nicht im Sinne einer theologiegeschichtlichen Ahnenforschung untersucht werden, die auf den Nachweis von Abhängigkeiten des später Geborenen abzielt und dabei das Neue und Eigenständige des Jüngeren nur als Nebenprodukt hervortreten läßt. Ziel der Arbeit ist es vielmehr, den theologiegeschichtlichen Zusammenhang so herauszuarbeiten, wie er sich historisch und systematisch zugleich zwischen Troeltsch und Barth ausgebildet hat.

Dieser Zielsetzung dient folgender methodischer Ansatz: Der Zusammenhang von Troeltsch und Barth wird dort aufgegriffen, wo sich Barth explizit auf Troeltsch bezieht. Dieser methodische Einsatz hat eine Gedankenbewegung zur Folge, die sich gegenläufig zu dem historischen Neben- bzw. Nacheinander von Troeltsch und Barth bewegt. Dabei wird berücksichtigt, daß Barth, indem er sich auf Troeltsch bezog, immer schon ausgearbeitete Theologie vor sich hatte, zu der er sich ins Verhältnis setzte. Eine Rückkopplung gab es nur an einer Stelle, an der Troeltsch die an ihm von Barth geübte Kritik zurückwies. Die Folge dieses methodischen Ansatzes ist es dann aber, daß Barths theologisches Denken nur soweit erfaßt ist, als es sich auf Troeltsch hin auslegt, wie umgekehrt das Werk Troeltschs nur unter den von Barth aufgegriffenen Gesichtspunkten in den Blick kommt. Gegenüber dem Gesamtwerk beider Theologen wirkt sich dieser methodische Ansatz daher zunächst äußert restriktiv aus; allerdings hat er den Vorteil, eine genaue philologische Ausarbeitung zu ermöglichen. Offen läßt er jedoch noch die Frage, ob er nicht zur Folge hat, daß darin nicht mehr der Übergang von Troeltsch zu Barth, sondern nur ein werkimmanenter Gesichtspunkt von Barths Theologie erhellt wird. Die Selbstbeziehung von Barth auf Troeltsch bringt als solche ja nur Barths eigenes Denken zum

---

5 Th.W. Ogletree, Christian Faith And History, A Critical Comparison Of Ernst Troeltsch And Karl Barth, New York 1965, systematisiert das Verhältnis von Troeltsch und Barth als das von historischem und dogmatischem Denken.

Vorschein. Was vom Werke Troeltschs sichtbar wird, ist unter der von Barth vorgenommenen Selektion nur das Bild, das sich Barth aus Troeltschs Gedanken bildet und darin durchaus eine Funktion seines eigenen Denkens.

An dieser Stelle muß der methodische Ansatz erweitert werden: Obwohl die Auseinandersetzung Barths mit Troeltsch ganz dem Werke Barths angehört, kommen in ihr doch Bezüglichkeiten von Barths Denken zum Vorschein, in denen er sich Gesichtspunkte erschließt, die auch unabhängig von dem Gebrauch untersucht werden können, den Barth selbst von ihnen macht. Diese Möglichkeit kann dadurch wahrgenommen werden, daß die von Barth aufgegriffenen Gesichtspunkte aus Troeltschs Werk in dessen eigenem Zusammenhang entfaltet werden. Diese Entfaltung muß ein Doppeltes leisten. Einmal muß sie die von Barth zumeist kritisch bezeichneten Punkte im Werk Troeltschs in deren eigenem Zusammenhang verständlich machen. Dann muß sie die Möglichkeit aufweisen, daß sie jener Rezeption zugänglich sind, mit der Barth sie seinem Denken einordnet. Durch diese doppelte Interpretation erfolgt dann eine Identifizierung jener Probleme, an denen der Zusammenhang von Troeltsch und Barth seine Bestimmtheit hat. Sowohl der Umgang Troeltschs mit diesen Problemen wie derjenige Barths lassen sich dadurch als Problemlösungen verstehen. Da die von Barth angebotenen Problemlösungen jedoch bereits Verarbeitungen der von Troeltsch angebotenen Problemlösungen darstellen, wird an Barths Problemlösungen dann jene Veränderung des Problembewußtseins greifbar, die den theologiegeschichtlichen Übergang von Troeltsch zu Barth ausmacht.

Diese Betrachtung des systematisch-theologischen Zusammenhangs der Theologie von Troeltsch und Barth ist nun ihrerseits methodisch an das historische Verhältnis von Troeltsch und Barth gebunden, sofern alle Bezugnahmen Barths auf Troeltsch ihren geschichtlichen Ort haben. Diese Orte sind für die hier vorgenommene Betrachtung zunächst biographisch und bildungsgeschichtlich bestimmt, sofern Barths Biographie und Bildungsgeschichte den Zugang definieren, den er zu Person und Werk Troeltschs hatte. Auf seine Troeltschrezeption wirkt sich dieser Zugang selektiv aus. Die biographischen und bildungsgeschichtlichen Daten von Troeltsch und Barth ihrerseits auf Entscheidungsprozesse hin durchsichtig zu machen, ist im Rahmen dieser Untersuchung dann freilich nicht mehr möglich, so daß sie in dieser Hinsicht auf die für jeden einzelnen immer nur individuell vorhandenen Möglichkeiten der gemeinsamen Geschichte verweisen.

Lediglich als Faktum läßt sich feststellen, daß Barth als Herrmann-schüler und begeisterter Marburger in einen Schulgegensatz zu Troeltsch gestellt war. Warum aber ging Barth bereits als überzeugter Marburger nach Marburg? Es läßt sich feststellen, daß Barth in Aarau 1911 einem Vortrag Troeltschs über „Die Bedeutung der Geschichtlichkeit Jesu für den Glauben" beiwohnte. Warum begnügt er sich aber damit, jenen Gesichtspunkt eines möglicherweise durch eine Eiszeit heraufgeführten Endes des Christentums aus diesem Vortrag immer wieder zu reproduzieren, ohne auf andere Ausführungen Troeltschs über die Zukunftsmöglichkeiten des Christentums einzugehen? Es läßt sich feststellen, daß Barth durch seine Verbindung zu den Schweizer religiösen Sozialisten in Opposition stand zu Naumann und dessen Organ „Die Hilfe", an dem auch Troeltsch mitarbeitete. Feststellen läßt sich auch, daß Troeltsch als Theologieprofessor mit aristokratischem Familienhintergrund und später als Unterstaatssekretär in Berlin einen anderen Erfahrungsbereich hatte als der Arbeiterpfarrer Barth in Safenwil. Warum der eine aber diesen, der andere zunächst jenen Lebensweg eingeschlagen hat, ist schlechterdings nicht zu klären. Wohl läßt sich feststellen, daß Barth und Troeltsch die Erfahrung des Ersten Weltkrieges an unterschiedlichen Orten unterschiedlich verarbeiteten. Daß sie das aber in so unterschiedlicher Weise taten, ist stringent nicht mehr herzuleiten. Wohl läßt sich feststellen, daß die posthume Veröffentlichung von Troeltschs Glaubenslehre um 1925 zusammenfiel mit den Anfängen von Barths dogmatischer Arbeit. Warum Barth sich seitdem aber fast nur noch mit diesem Nebenprodukt aus Troeltschs Schaffen literarisch auseinandersetzte, ist nicht mehr zu erklären. Wohl läßt sich feststellen, daß Barth zeitweise von der Gestalt und den Gedanken Overbecks fasziniert war. Warum er jedoch das Problem der Eschatologie in der von Overbeck vertretenen Form aufgriff und nicht in der Troeltschschen Verarbeitung, ist nicht weiter zu erklären. Warum Barth Troeltschs Satz: „Das Jenseits ist die Kraft des Diesseits" als eine für Troeltsch merkwürdig treffende Äußerung zitierte, es aber nicht unternahm, diesen Gedanken als einen auch für Troeltsch vernünftigen Gedanken zu begreifen, läßt sich wiederum nur feststellen, aber nicht mehr erklären.

Die biographischen und bildungsgeschichtlichen Faktoren, die den Zugang Barths zu Person und Werk Troeltschs bestimmen, wirken sich aber nicht nur selektiv auf Barths Troeltschrezeption aus. Sie präformieren auch das Urteil über Troeltsch, wo Barth seine eigene Kritik an Troeltsch, die er einmal entwickelt hat, dann pauschalierend weiterverwendet. Dabei wird Troeltsch zu der theologiegeschichtlichen Gestalt, die die von ihm abgelehnte Position am deutlichsten repräsentiert. Vor dem von Barth als epochal empfundenen

Einschnitt des ersten Weltkrieges war Troeltsch die beherrschende Theologengestalt. Er war es, der die Theologie des Neuprotestantismus auf den Begriff gebracht hatte. Er vertrat noch jenen modernen Menschen, dessen Selbstbewußtsein durch den ersten Weltkrieg für Barth objektiv widerlegt worden war. Er gehörte jener Klasse an, die durch einen religiösen Gegensatz vom Proletariat geschieden war. Er repräsentierte den Tiefstand der Dogmatik sowohl in sachlicher wie in formaler Hinsicht. Er hatte sowohl durch sein Reformationsverständnis wie durch seine Begriffsbildung die reformatorische Theologie verlassen, so daß sich in ihm tendenziell Modernismus und Katholizismus vereinigten. Seine Schüler wurden DC-Leute, Konvertiten oder Anthroposophen. Die pauschalierende Kritik entwirft so ein Bild, nach dem die Unerträglichkeit von Troeltschs Theologie zur Abkehr von ihr und zum Neubeginn gezwungen habe.

Im folgenden soll nun der Zusammenhang von Troeltsch und Barth an drei Gesichtspunkten dargestellt werden, die in Barths Werk als Orte der Vermittlung seines Verhältnisses zu Troeltsch besonders hervortreten.

A. DIE GESCHICHTE DES CHRISTENTUMS IN IHRER REFLEXION BEI TROELTSCH UND BARTH

I. Barth und Troeltsch in Aarau (1911)

Auf der XV. christlichen Studentenkonferenz in Aarau, 1911, hält Troeltsch einen Vortrag über das Thema: Die Bedeutung der Geschichtlichkeit Jesu für den Glauben[6].
An dieser Konferenz und an diesem Vortrag nimmt Barth teil[7]. Auf Troeltschs Vortrag nimmt er in der Folgezeit verschiedentlich Bezug. Zuerst 1912 in seinem Aufsatz: „Der christliche Glaube und die Geschichte" (4, Anm. 2), dann im ersten Römerbriefkommentar von 1919 (162), wiederum in seinem Vortrag von 1920 „Unerledigte Anfragen an die heutige Theologie" (Vorträge II, 8), dann im zweiten Römerbriefkommentar von 1922 (184), so wie 1938 in KD I/2 (316). Das Stichwort, das Barth in unterschiedlicher Weise immer wieder aus diesem Vortrag aufgreift, ist das der „Eiszeiten", mit deren möglicher Wiederkehr Troeltsch in seinem Vortrag 1911 argumentiert hatte.

---

6 Abgedruckt in den bei Francke in Bern regelmäßig erscheinenden Konferenzberichten. Der von 1911 ist betitelt (nach H. Stoevesandt, Karl Barth Archiv): Die XV. Christliche Studenten-Konferenz, Aarau 1911, den 13. bis 15. März. Dieser Bericht enthält nach einem mit „P.B." gezeichneten Vorwort folgende Beiträge: B. Pfister, Predigt über Joh. 14,19 (5); T. Sprecher von Berneck, Militärwesen, Christentum und Demokratie (13); P. Wurster, Die geistige Bildung des Studenten (52); L. Christ, Abstinenzmotive (66); E. Troeltsch, Die Bedeutung der Geschichtlichkeit Jesu für den Glauben (85—112).
Gesondert erschien der Vortrag Troeltschs in Tübingen 1911, er wurde wieder zugänglich gemacht durch Wiederabdruck in: E. Troeltsch, Die Absolutheit des Christentums und die Religionsgeschichte (Siebenstern Taschenbuch 138), 132—162.

7 H. Stoevesandt (Karl Barth-Archiv) bestätigt auf Grund von Barths Notizkalender die Teilnahme Barths, an die Barth sich 1920 zeitlich selbst nicht mehr so genau erinnert. Er meint, die Konferenz sei „in Aarau 1910" gewesen (Vorträge II, 8). Die in Werke V/1 an Bultmann gerichtete Biertischpostkarte stammt vermutlich von dieser Konferenz, wenn auch der Poststempel (Entzifferungsfehler?) auf den 21. März weist. Barths Exemplar des Konferenzberichts zeigt nach Auskunft von H. Stoevesandt zahlreiche Anstreichungen und Fragezeichen zu Troeltschs Vortrag.

II. Die Zentralstellung Jesu im Christentum nach Troeltsch und Barth (1911/1917)

Troeltsch hatte in seinem Vortrag über die „Bedeutung der Geschichtlichkeit Jesu für den Glauben"[8] durch Verweis auf die mehrmals hunderttausend Jahre Menschheitsgeschichte eine Auffassung des Christentums in Frage gestellt, derzufolge „die christliche Gemeinde als das ewige absolute Zentrum des Heils für die gesamte Dauer der Menschheit bezeichnet" wird (141). Aus dem gleichen Grunde hatte er es für schwer vorstellbar erklärt, Jesus „als alleiniges Zentrum aller Menschheit zu denken" (141). Daß es zur Annahme einer solchen absoluten Zentralstellung Christi und seiner Gemeinde kommen konnte, erklärte er aus der beschränkten Weite des historischen Bewußtseins, das den eigenen Lebenskreis noch mit der Menschheitsgeschichte überhaupt identifizierte. „... einen einzigen Punkt der Geschichte ... — und zwar gerade den Mittelpunkt unserer eigenen religiösen Geschichte — als alleiniges Zentrum aller Menschheit zu denken ... sieht doch allzu stark aus nach Verabsolutierung unseres zufälligen eigenen Lebenskreises. Das ist in der Religion das, was in der Kosmologie und Metaphysik Geozentrismus und Anthropozentrismus sind. Zu diesen beiden Zentrismen gehört auch der Christozentrismus seiner ganzen logischen Natur nach. Wir brauchen nur an die vergangenen und vermutlich wiederkehrenden *Eiszeiten*[9], die Folgen kleinster Polschwankungen, und an den Auf- und Niedergang großer Kultursysteme zu denken, um eine solche absolute und ewige Zentralstellung für unwahrscheinlich zu halten. Sie paßt zu der idyllischen Kleinheit und Enge des antiken und mittelalterlichen Weltbildes mit seinen paartausend Jahren Menschheitsgeschichte und seiner Erwartung der Wiederkunft Christi als Abschluß der Weltgeschichte" (141). Von einem erweiterten historischen Bewußtsein aus, wie Troeltsch es für seine Gegenwart in Anspruch nimmt, wird es ihm möglich, diese Beschränktheit des antiken und mittelalterlichen Weltbildes zu erkennen und in dieser Beschränktheit auch die Bedingungen aufzudecken, die die Annahme einer absoluten Zentralstellung Christi und seiner Gemeinde ermöglichte. Die Kritik am Christozentrismus vollzieht sich so als seine Rückführung auf den aktuellen Wissensstand einer vergangenen Epoche.

Daß diese kritische Reduktion auch konstruktive Möglichkeiten eröffnet, zeigt die Neubegründung der Zentralstellung Jesu, die

---

8 Seitenangaben nach Siebenstern TB 138.
9 Hervorhebung von mir.

Troeltsch seinerseits vornimmt. Er legt das religiöse Bewußtsein zugrunde, das die Nötigung zur Gemeinschaft um seiner eigenen „Wirkungskraft und Fortpflanzung" willen eingesehen hat (150, vgl. 147). Für die religiöse Gemeinschaft konstruiert er dann aus dem „Bedürfnis ... nach einem Halt, Zentrum und Symbol ihres religiösen Lebens" (147) die Zentralstellung Jesu neu. „Es ist ein sozialpsychologisches Gesetz", stellt er fest, „daß nirgends auf die Dauer lediglich parallel empfindende und denkende Individuen ... ohne Wechselwirkung und Zusammenhang nebeneinander bestehen können, sondern daß sich aus den tausendfachen Beziehungen überall Gemeinschaftskreise mit Über- und Unterordnungen erzeugen, die sämtlich eines konkreten Mittelpunktes bedürfen" (148). Für die christliche Gemeinde kommt als konkreter Mittelpunkt allein Christus in Frage. „Denn ein anderes Einigungs- und Veranschaulichungsmittel hat die christliche Gotteserkenntnis überhaupt nicht" (150). „,Gott in Christo' kann für uns nur heißen, daß wir in Jesus die höchste uns zugängliche Gottesoffenbarung verehren und daß wir das Bild Jesu zum Sammelpunkt aller in unserem Lebenskreis sich findenden Selbstbezeugungen Gottes machen" (161). Im Rückgriff auf die konstruktiven Möglichkeiten des gegenwärtigen Selbstbewußtseins will Troeltsch so die Zentralstellung Jesu für die christliche Gemeinde sowohl in ihrer Gegebenheit erklären wie auch als dauerhaft wahrzunehmende Aufgabe plausibel machen. „Das ist entscheidend und muß die religiöse Arbeit der Gegenwart bestimmen" (162).
Das christliche Selbstbewußtsein, auf dem Troeltsch die Zentralstellung Jesu aufbauen will, umfaßt in seiner gegenwärtigen Gestalt nun aber nicht nur die christliche Welt, sondern auch die nichtchristliche Religionsgeschichte und die „Unermeßlichkeit menschlicher Geschichtszeiträume in Vergangenheit und Zukunft" (141). Obwohl dieser Bereich nur als fremd und unzugänglich vorgestellt werden kann, ist er doch dem Selbstbewußtsein zuzurechnen, sofern es um ihn weiß. Als Hintergrund der eigenen Lebenswelt bildet er ein Bestimmungsmoment des gegenwärtigen aktuellen Selbstbewußtseins, so daß sich im Zentrum von Troeltschs christologischer Konstruktion die Frage nach ihrem Geltungsbereich erhebt. Troeltsch selbst stellt die Frage danach, „ob das Christentum selber ewig bis ans Ende die Religion der Menschheit bleiben wird, ob es das durch Mission in den nichtchristlichen Ländern und Völkern für alle Ewigkeit werden wird" (161), und er antwortet, weil er diese Frage historisch nicht begründet beantworten kann, es müsse offen bleiben, „ob diese Kultur selbst ewig dauern und auf die gesamte Welt sich ausdehnen wird" und „ob in hunderttausend Jahren die Frömmigkeit sich noch aus Jesus nähren wird oder ein anderes Zentrum

haben wird" (161). Für Troeltsch sind diese „unbestimmte(n) Zukunftsmöglichkeiten" (161) keine Unerträglichkeit, weil er sich der christlichen Lebenswelt in ihrer gegenwärtigen Gestalt und ihren endlichen, aber gegenwärtig dann auch wahrnehmbaren Möglichkeiten verpflichtet weiß. In dieser aufs Praktisch-Religiöse zielenden Haltung ist er freilich nicht dagegen abgesichert, daß das historische Bewußtsein, das aufs Ganze der Geschichte gerichtet ist und die christliche Lebenswelt als nur eine unter anderen weiß, seine größere theoretische Allgemeinheit gegen die Verbindlichkeit dieser partikular bleibenden Gestaltung aufbietet und daraus die nur relative Bedeutung Jesu auch für die Gemeinde ableitet. Dieser Kritik gegenüber bleibt Troeltsch nur die Beschwichtigung und die Emphase: „Diese gespenstische Sorge eines mit der großen Zahl spielenden Relativismus muß man sich aus dem Kopf schlagen und entschlossen das Göttliche so ergreifen, wie es in der Gegenwart sich darbietet" (161f).

Karl Barth läßt sich durch diese Beschwichtigung Troeltschs nicht zufriedenstellen, sondern legt den Finger genau auf die Aporie, die Troeltsch als praktisch bedeutungslos hatte zurückstellen wollen. In seiner Auslegung von Röm 6,9, an der er im Oktober 1917 arbeitete[10], greift er auf Troeltschs Vortrag von 1911 zurück: „Der Gedanke an die mehrmals hunderttausend Jahre Menschheitsgeschichte, ‚an die vergangenen und vermutlich wiederkehrenden Eiszeiten, die Folgen kleinster Polschwankungen und an den Auf- und Niedergang großer Kultursysteme' (Troeltsch), mag in der Tat der bleibenden Bedeutung des ‚historischen Jesus' verhängnisvoll werden" (Röm[1], 162). Das Problem der durch die geschichtliche Dauer möglicherweise relativierten Zentralstellung Jesu in der Weltgeschichte, das Troeltsch formulierte, dessen Lösung er aber der Zukunft überlassen zu können gemeint hatte, wird hier von Barth aufgenommen und nun gegen Troeltschs christologische Konstruktion gewendet. „Der Gedanke an die mehrmals hunderttausend Jahre Menschheitsgeschichte ... mag in der Tat der bleibenden Bedeutung des ‚historischen Jesus' verhängnisvoll werden." Mit dieser Kritik kündigt Barth nun aber nicht den Abschied der Zentralstellung Jesu für die christliche Gemeinde an, sondern allererst ihre volle Durchführung. Der Sinn seiner Kritik an der von Troeltsch vorgenommenen Konstruktion der Zentralstellung Jesu liegt bei ihm gerade darin, daß Troeltsch nicht konsequent genug Jesu Zentralstellung auf das christliche Selbstbewußtsein begründet habe, sofern seine Konstruktion es erforderlich macht, daß sich das christliche Selbstbewußtsein sein Wissen um die

---

10 Werke V/3, 238.

mehrmals hunderttausend Jahre Menschheitsgeschichte „aus dem Kopf" schlägt, um Jesus als ihr Zentrum wissen zu können. Erst, wenn sich das christliche Selbstbewußtsein seine Unzufriedenheit über die gegenständlich nicht mehr überschaubare Geschichte als Moment seines Selbst aneignet und in sein ihm in Jesus gegebenes Selbstbewußtsein aufnimmt, wird es sich in der christologischen Konstruktion konsequent als es selbst zur Geltung bringen können, nämlich als Subjekt, das sich durch keine Geschichte relativiert weiß[11].

In Auslegung von Röm 6,9 beschreibt Barth als Antwort und Überbietung zu der Äußerung Troeltschs dieses Wesen des Subjekts im auferstandenen Christus: „Wo bleibt bei ihm die Möglichkeit, doch noch dem Fluch der Vergänglichkeit, der Relativität alles Irdischen zu erliegen... Von dem Sein, in dem der Christus steht, führt kein Weg zurück in die Sterblichkeit. Das Leben, in das er durch die Auferstehung eingegangen ist, hat mit dem Werden und Vergehen nichts zu schaffen, es ist keiner Entwicklung unterworfen und keinem Veralten ausgesetzt; es ist in sich selber lebendig, weil es Leben in Gott ist" (Röm[1], 162).

Indem Barth das christliche Selbstbewußtsein, das der christologischen Konstruktion zugrunde liegt, als es selbst in dieser Konstruktion zur Geltung bringt, verwandelt sich ihm die Aporie Troeltschs zur Position: Der Gedanke an die unendlichen Geschichtszeiträume „mag in der Tat der bleibenden Bedeutung des ‚historischen Jesus' verhängnisvoll werden" (Röm[1], 162). Daß die Bedeutung des historischen Jesus durch die Geschichte relativierbar ist, wird in der Affirmation zum Ausdruck des radikalen christlichen Wahrheitsbewußtseins, das seinen Gehalt darin hat, sich selbst als Subjekt zu wissen.

---

11 In seinem Vortrag über Glaube und Geschichte schrieb Barth 1912: „Es wäre übrigens zu zeigen, dass ein Geschichts*bild*, d.h. im Unterschied zur blossen Eruierung von Fakten und Faktoren ein von innen nach aussen gehendes *Begreifen* und *Aneignen* des geschichtlichen Geschehens nur auf Grund eines ... absoluten Verhältnisses des Geschichtsbeschauers zur Geschichte zu Stande kommt, also immer irgendwie auf Grund von ‚Glaube' und ‚Offenbarung'. Man mache sich aber klar, dass dem wirklich so ist, dass bei allem derartigen Begreifen die wissenschaftliche Methodik bereits der religiösen das Feld räumt" (Gl.u.Gesch. 4 Anm. 1).

III. Die Aufnahme der Ungewißheit über die geschichtliche Dauer des Christentums in dessen gegenwärtige Bestimmung bei Troeltsch, Overbeck und Barth (1911/1920/1927)

Im Januar 1920 erwirbt Barth das 1919 in Basel erschienene Buch: Franz Overbeck, Christentum und Kultur. Gedanken und Anmerkungen zur modernen Theologie, aus dem Nachlaß hg. von C.A. Bernoulli[12]. Er schreibt dazu eine „Buchanzeige"[13] mit der Überschrift: „Unerledigte Anfragen an die heutige Theologie", die zusammen mit einer Predigt Thurneysens 1920 unter dem Titel: „Zur inneren Lage des Christentums" im Christian Kaiser Verlag in München erscheint[14]. Unabhängig von dieser Buchanzeige bespricht Troeltsch dasselbe Buch im selben Jahr in der Historischen Zeischrift[15], in der er 1917 bereits die gleichfalls von Bernoulli herausgegebene Vorlesung Overbecks über „Vorgeschichte und Jugend der mittelalterlichen Scholastik" besprochen hatte[16]. Da Barth sich in seiner Buchanzeige auf Troeltschs Vortrag von 1911 — in seiner Erinnerung fand dieser Vortrag 1910 in Aarau statt — bezieht, ist damit eine Konstellation gegeben, in der das Verhältnis von Troeltsch und Barth einmal unmittelbar an Barths Stellungnahme zu Troeltschs Vortrag, dann aber auch mittelbar an ihrer beider Stellungnahme zu Overbeck aufgezeigt werden kann[17].
Unmittelbar auf Troeltschs Vortrag Bezug nehmend, schreibt Barth 1920: „Über die Stellung und Aussichten des Christentums in der Geschichte ist in den letzten Jahrzehnten viel geredet worden. Wenn ich nicht irre, waren die Aufstellungen *Troeltschs* über die vorläufige soziologische Bedeutung der Kirche und sein düsterer Ausblick auf kommende Eiszeiten, in denen es dann auch damit vorüber sein könnte, das letzte bemerkenswerte Stadium, das diese Verhandlungen vor dem Kriege erreichten." Er erinnert sich: „Wir hörten ihm damals (in Aarau 1910) zu mit dem dunkeln Gefühl, daß es nun auch in der Sackgasse, in der wir verhältnismäßig getrost wandelten, nicht mehr weiter gehe." Dann fährt er fort: „Eine ganz andere Frage, als die, die zuletzt derartige Antworten provozieren mußte, ist

---

12 Im folgenden zitiert nach dem Neudruck, Darmstadt 1963 als Ov.
13 Vgl. Werke V/3, 368.
14 Dort 3—24. Hier zitiert nach Vorträge II, 1—25.
15 Dort: Literaturbericht, 279—287.
16 Historische Zeitschrift 118, 1917, aufgenommen in: GS IV, 734—736.
17 Zum Verhältnis Barth-Overbeck vgl.: H. Schindler, Barth und Overbeck, 1936, der im wesentlichen aber nur feststellt, daß Barth Overbeck nicht richtig verstanden habe.

die Frage, ob von einer Stellung und von Aussichten des Christentums in der Geschichte überhaupt die Rede sein kann."[18] Barths einleitender Verweis auf die Vorkriegsjahre, „in denen viel über Geschichte geredet worden" sei, gibt den theologiegeschichtlichen Zusammenhang an, in dem die Frage, ob überhaupt von einer solchen Stellung gesprochen werden dürfe, ihren Ort hat. Die „ganz andere Frage", die Barth stellen will, wird dadurch bestimmbar als dieselbe Frage, in neuer Fassung. Problemgeschichtlich repräsentiert dabei Ernst Troeltsch für Barth das letzte „bemerkenswerte Stadium" der Fragestellung in ihrer alten Form, wobei Barth der Meinung ist, daß die von Troeltsch vorgetragene Problemlösung die äußersten Möglichkeiten ihrer Beantwortung sichtbar gemacht habe, die „Antworten", die jene Frage in ihrer alten Form „zuletzt ... provozieren mußte". Wenn Barth von seiner neuen Fragestellung aus 1920 Troeltschs Beantwortung dieser Frage als Sackgasse bezeichnet, so war es für ihn doch, wie seine autobiographische Erinnerung zeigt, Ernst Troeltsch, der durch die Konsequenz seiner Antwort diese Sackgasse überhaupt erst als solche für ihn hatte erkennbar werden lassen. In einem autobiographischen Rückblick des Jahres 1927 auf die Jahre 1908/1909, in denen er in Marburg studierte, wird Barth schreiben: „Der damals im Mittelpunkt unserer Diskussion stehende Name Troeltsch bezeichnete die Grenze, diesseits derer ich der damals herrschenden Theologie die Gefolgschaft verweigern zu müssen meinte."[19] 1920 schreibt er über Troeltsch: „Wir hörten ihm damals (in Aarau 1910) zu mit dem dunkeln Gefühl, daß es nun auch in der Sackgasse, in der wir verhältnismäßig getrost wandelten, nicht mehr weiter gehe." Inhaltlich bestand die Ausweglosigkeit der von Troeltsch beschriebenen Lage für Barth darin, daß er zum Thema „Stellung und Aussichten des Christentums in der Geschichte" nur noch von der „vorläufigen soziologischen Bedeutung der Kirche" und ihrem möglichen Ende in der Geschichte zu sprechen wußte. Troeltsch sagt 1910 in Aarau: „So kann man ... die Frage nach einer ewigen Dauer des Christentums ... nicht bejahen und nicht verneinen" (Geschichtlichkeit Jesu, 161). Wenn Barth danach die Frage stellt, „ob von einer Stellung und von Aussichten des Christentums in der Geschichte überhaupt die Rede sein kann", radikalisiert er die immanente Tendenz von Troeltschs Antwort. Der Ausblick auf das mögliche Ende des Christentums in der Geschichte bei Troeltsch wird überboten durch die Frage, ob man überhaupt von einer Stellung und von Aussichten des Christentums in der Geschichte sprechen dürfe. Diese vorläufige

---

18 Vorträge II, 8.   19 Werke V/1, 305f.

Tendenzbeschreibung soll im folgenden durch eine mehr ausholende Darstellung von Troeltschs und Barths Ausführungen zum Thema Christentum und Geschichte erläutert werden.

Troeltsch bezog sich im Ansatz seines Vortrags von 1911 in Aarau auf die in der historischen Forschung bewußt gewordene tiefgreifende Differenz zwischen dem gegenwärtigen Christentum und seiner ursprünglichen Gestalt: „Die Kritik entdeckte die völlig andersartige religiöse und ethische Grundhaltung der Urgemeinde und jedenfalls auch Jesu selbst, die Gebundenheit an das antik-populäre Weltbild, an jüdisch-orientalische Verhältnisse und an apokalyptisch-eschatologische Ideale. Das ‚Christentum Christi‘ war etwas völlig anderes, als das mit der Wissenschaft und der unentbehrlichen weltlichen Moral des Staats-, Rechts- und Wirtschaftslebens seine Kompromisse schließende Christentum der Kirche“ (Geschichtlichkeit Jesu, 133). Angesichts dieser Differenz fragte Troeltsch: „Kann ... überhaupt noch ... von einer inneren wesentlichen Bedeutung der neutestamentlichen Urgeschichte für die christliche Lebens- und Ideenwelt die Rede sein?“ (134). Der Zusammenhang dieser Frage mit der historischen Kritik wird von Troeltsch ausdrücklich festgehalten. Er zeigt an ihm auf, daß sich das christliche Wahrheitsbewußtsein mit fortschreitender historischer Kritik immer mehr von einer geschichtlichen Begründung seiner Wahrheit abgewandt hat und die ihm eigentümliche Wahrheit immer konsequenter als eigenständig zu vertretenden Besitz aufgefaßt hat. Soll bei einem solchen „Verhalten zum Gegenstand“ noch von einer „inneren wesentlichen Bedeutung der neutestamentlichen Urgeschichte die Rede sein“, dann können die Gründe dazu dann aber nicht mehr gegenständlich in den historischen Elementen der Geschichte liegen, sondern müssen aus dem gegenwärtigen Selbstbewußtsein des Christentums selbst entwickelt werden (134). Troeltsch nennt zwei Gründe, deretwegen vom gegenwärtigen christlichen Selbstbewußtsein aus die neutestamentliche Urgeschichte Bedeutung hat: Einmal vermag sich das christliche Selbstbewußtsein nur in Gemeinschaft zu erhalten; diese Gemeinschaft benötigt ihrerseits ein allgemeines Symbol, in dem sie den gemeinsamen geistigen Besitz veranschaulicht, weitervermittelt und kulturell wirksam macht. Wegen des „Überzeugungs- und Gewißheitshunger(s)“ des christlichen Wahrheitsbewußtseins reicht es ihm dabei nicht, dieses Symbol „lediglich für einen, wenn auch noch so schönen, Mythos zu halten“, sondern es ist ihm wichtig, daß dahinter ein „wirklicher Mensch“ steht (151). Zum andern fordert das Interesse an der eigenen Identität, daß dieses Symbol Jesus sei. Denn nur, indem alle „in unserem Lebenskreis sich findenden Selbstbezeugungen Gottes“ (162) in Jesus zusammengeschaut werden, wahrt das gegenwärtige Christentum „die Christlichkeit und damit überhaupt die Bestimmtheit des Prinzips" (155). Daß die neutestamentliche Urgeschichte der Symbolisierung und Identifizierung des gegenwärtigen Wahrheitsbewußtseins dient, begründet ihre Bedeutung für die gegenwärtige christliche Lebens- und Ideenwelt. Troeltsch, der das gegenwärtige Christentum dergestalt auf das christliche Selbstbewußtsein begründet sieht, bekommt damit dann aber auch das Ende des Christentums in den Blick. Die Konstituierung des christlichen Selbstbewußtseins im Zusammenhang der europäischen Geschichte läßt es ihm weltgeschichtlich möglich erscheinen, daß mit dem Vergehen dieser Geschichte auch das christliche Selbstbewußtsein die ihm eigentümliche Bestimmtheit verliert. Die Frömmigkeit späterer Jahrhunderttausende würde sich dann in einem anderen geschichtlichen Zusammenhang entfalten und sich in einem „andern Zentrum" als Jesus (161) einen symbolischen Ausdruck verschaffen. Dann wäre das Ende des Christentums und der Kirche eingetreten. Soweit „die Aufstellungen *Troeltschs*" zum Thema „Stellung und Aussichten des Christentums in der Geschichte" von 1911, die Barth 1920 als Sackgasse bezeichnet[20].

Nun soll gezeigt werden, daß Barth die immanente Tendenz von Troeltschs Aufstellungen konsequent auszieht, wenn er die Frage stellt, ob von einer Stellung und von Aussichten des Christentums in der Geschichte überhaupt die Rede sein könne. Angesichts des möglichen Endes des Christentums in der Geschichte sagt Troeltsch: „Wir können nur die religiösen Kräfte der Gegenwart zusammenhalten und fortbilden und gewiß sein, darin das von der Gegenwart Verlangte zu tun und in der inneren Bewegung des göttlichen Lebens zu stehen... Da wir aber diese unsere religiösen Gegenwartskräfte nur im Zusammenhang mit der Vergegenwärtigung und Verehrung der Person Christi haben, so scharen wir uns um sie, unbekümmert darum, ob in hunderttausend Jahren die Frömmigkeit sich noch aus Jesus nähren wird oder ein anderes Zentrum haben wird" (161). Zunächst scheint der Appell zur entschlossenen Bewahrung und Fortbildung der christlichen Wahrheit Troeltschs einzige Antwort auf die unkontrollierbaren Zukunftsmöglichkeiten zu sein. Im übrigen zeigt er sich unbekümmert. Doch diese Unbekümmertheit ist nicht unbegründet, sondern wie das gegenwärtige christliche Wahrheitsbewußtsein in der „inneren Bewegung des göttlichen Lebens" aufgehoben. In dem so gefaßten Gottesbegriff findet auch das Bewußtsein seinen Ausdruck, daß das Christentum mit der ihm eigentümlichen Bestimmung der Wahrheit nicht die abschließende Dar-

---

20 Vorträge II, 8.

stellung der Wahrheit in der Geschichte sein muß. Die „innere Bewegung des göttlichen Lebens" enthält zwar die christliche Wahrheit, doch enthält sie mehr als diese und ist mit ihr nicht einfach gleichzusetzen. Die innere Bewegung des göttlichen Lebens umfaßt auch das, was an Wahrheit der Gegenwart verborgen ist, was in späteren Jahrhundertausenden vielleicht auch gar nicht mehr als christlich identifiziert wird. So bringt Troeltsch mit seiner Rede von der „inneren Bewegung des göttlichen Lebens" das sich zu seiner eigenen aktuellen Gestalt kritisch verhaltende christliche Selbstbewußtsein auf den Begriff. Damit aber wird bei Troeltsch auch das christliche Wahrheitsbewußtsein weit über seine geschichtlich ausgelegte Gestalt hinausgetrieben, so weit, daß es sich in der eigenen Geschichte nicht mehr zu identifizieren vermag. Allein im Gottesbegriff, in dem ihm die Gegebenheit seines Selbstbewußtseins als Gegebenheit bewußt ist, ist dieses Wahrheitsbewußtsein noch als Wahrheitsbewußtsein des Christentums zu identifizieren.

Auf dieser Basis ist es Troeltsch dann aber auch möglich, dem Ende des Christentums in der Geschichte „unbekümmert" entgegenzusehen. Diese Radikalisierung des christlichen Wahrheitsbewußtseins ist für Troeltsch jedoch nur eine extreme Möglichkeit, die für die Auffassung unseres religiösen Wesens zwar wichtig ist, die aber bei seiner Entfaltung unberücksichtigt bleiben darf. Im Unterschied dazu wird von Barth nun gerade dieses christliche Wahrheitsbewußtsein, das für Troeltsch nicht mehr an der Geschichte des Christentums unmittelbar identifizierbar ist, als das einzig wahrhaftige Wahrheitsbewußtsein gedeutet und als solches für die Beschreibung des Christentums in Anspruch genommen. Barth macht damit einen Anfang, indem er in seiner Overbeck-Besprechung Troeltsch gegenüber die Frage aufwirft, ob von einer Stellung und von Aussichten des Christentums in der Geschichte überhaupt die Rede sein könne. Zu dieser Troeltsch gegenüber kritisch gemeinten Frage, die durchaus ein Moment an Troeltschs eigenem Denken aufnimmt, kommt es dadurch, daß Barth für sich dieses Moment bei Overbeck entdeckt[21]. Das Overbeck und Troeltsch gemeinsame Moment wird danach von Barth nur noch im Negativen als gemeinsames festgestellt, daß nämlich beide die Relativität des Christentums in der Geschichte denken. So in der zweiten Auslegung des Römerbriefs, S. 184. Im folgenden soll nun gezeigt werden, welche Gestalt dieses radikalisierte Wahrheitsbewußtsein bei Overbeck annimmt. Overbeck hatte mit dem Begriff der Urgeschichte das Problem des

---

21 Zu dem starken Eindruck, den die Entdeckung Overbecks auf Barth machte, vgl. Werke V/3.4, zB. V/3, 395.

Anfangs geschichtlicher Tradition bewältigen wollen. „Die Geschichte beginnt erst", sagt Overbeck im Anschluß an Ranke, „wo die Monumente *verständlich* werden und *glaubwürdige* schriftliche Aufzeichnungen vorliegen... Dahinter liegt die Urgeschichte" (Ov. 20). Urgeschichte hat zum Grundmerkmal *Entstehungsgeschichte* zu sein" (Ov. 24). In dem Moment, wo „in der Geschichte" eines „Organismus ... die Grenzen, die ihn gegen die Welt abschließen, keine wesentliche Verrückung mehr erfahren, ... scheidet sich Ur- oder Entstehungsgeschichte von Geschichte ab" (21). Diese Distinktion verbindet Overbeck mit weitreichenden Näherbestimmungen. Während Geschichte durch ihre Zugänglichkeit charakterisiert ist, ist Urgeschichte durch ihre Unzulänglichkeit und Dunkelheit charakterisiert. „Der Schleier, der ja über jeder Überlieferung liegt, ist bei der Urgeschichte bis zur Undurchdringlichkeit gesteigert" (21). Dabei ist „Urgeschichte ... bedeutsamere, entscheidendere Geschichte als alle Geschichte sonst" (21). Doch das Entscheidende liegt im Dunkeln. „Urgeschichtliche Probleme sind in steter Gefahr, im Lichte betrieben zu werden, in dem alle Katzen grau sind. Sie sind daher nur Forschern erlaubt, die in diesem Lichte zu sehen vermögen — also Forschern mit ‚Katzenaugen', die im Dunkeln sich zurechtfinden" (20). Diese Qualifikation der Urgeschichte durch Dunkelheit und Unzugänglichkeit hat zur Folge, daß Overbeck den Moment des Hervortretens der Geschichte aus der Urgeschichte dem Moment des Todes vergleichen kann, von dem er sagt: „Der Tod ist der Moment unseres individuellen Lebens, in dem dieses in dieselbe Sphäre des Unbekannten tritt, in welcher für uns schon bei unseren Lebzeiten Alles sich befindet, was jenseits der uns bekannten Welt liegt" (297). Die gegebene Geschichte und Welt hat so ihren Ort zwischen den beiden „Sphären des Unbekannten", zwischen Urgeschichte und Tod. Indem Overbeck diese Einsicht über die Geschichte gewinnt, überschreitet er das auf diese Geschichte fixierte Wahrheitsbewußtsein und erweitert es so, daß es das Wissen um das Unbekannte mit umschließt. Sofern der „Mensch" nun gerade „mit der Unterscheidung des ihm Bekannten vom Unbekannten in Besitz des Bewußtseins getreten ist" (297), gewinnt das Wissen um das Unbekannte — und hier nimmt Barth Overbeck auf (Werke V/3, 365 u.ö.) — eine überragende Bedeutung. Denn nicht mehr durch das Bedenken der geschichtlich gegebenen Gehalte, sondern nur noch durch die Reflexion auf das Unbekannte, das die Geschichte umschließt, kann sich für Overbeck der Mensch seiner selbst vergewissern. Die Thematisierung von Urgeschichte und Tod in Overbecks Geschichtstheorie hat für die Erfassung des Wahrheitsbewußtseins bei ihm daher die gleiche Funktion wie bei Troeltsch „die Ausdehnung des Blickes auf die unermeßlichen menschlichen Geschichtszeiträume in Vergangenheit und Zukunft" (Geschichtlichkeit Jesu, 141). Sie lassen die Endlichkeit der eigenen zugänglichen Geschichte erkennen und bringen das Wahrheitsbewußtsein dahin, sich von einer Selbstidentifikation in dieser Geschichte abzuwenden. Der unterschiedliche Stellenwert, den gleichwohl diese Einsicht für Troeltsch und Overbeck hat, läßt sich an den Besprechungen zeigen, die Troeltsch zum Nachlaßband Overbecks „Christentum und Kultur" im Jahre 1920 in der Historischen Zeitschrift vorlegt[22].

Troeltsch urteilt in seiner Besprechung von Overbecks Schrift „Christentum und Kultur" abschließend über Overbeck: „Er ist eben trotz aller Kritik und allen Geistes mehr Theologe als Historiker gewesen, nur eben negativer Theologe" (HZ 287). Troeltsch stimmt der Bemerkung Erwin Rohdes zu, „die Theologie müsse bei Overbeck doch tiefer sitzen, als er sich selbst zugebe" (281). Dieses Urteil sieht Troeltsch in den vielen „Selbstbetrachtungen" bestätigt (281), die der Nachlaßband enthält, und von denen Troeltsch folgende Äußerung Overbecks als bemerkenswert hervorhebt: „,Bedenke ich, was ich jetzt weiß, so fühle ich mich bisweilen nicht viel anders als zur Befreiung der Kultur von der modernen Theologie berufen... Um etwas anderes wäre es mir nicht zu tun als um den Nachweis des *finis Christianismi* am modernen Christentum...' (289)" (HZ 286). Darin ist Overbeck also für Troeltsch Theologe, so läßt sich diese Hervorhebung Troeltschs interpretieren, daß er sich nicht damit begnügt, das Ende des Christentums festzustellen, sondern daß er es am vorhandenen Christentum nachweisen will. Der Nachweis hat damit den Charakter einer immanenten Kritik des Christentums, die in jedem Fall der Vorstellung eines wahren Christentums verpflichtet bleibt. Darin liegt die „Theologie ... bei O(verbeck)" (281), die tiefer sitzt, als er sich im Vollzug seiner Christentumskritik selbst zugibt. Wenn Overbeck sich damit „zur Befreiung der Kultur von der modernen Theologie berufen" weiß, so disqualifiziert ihn das im Urteil Troeltschs nicht als Theologen, sondern es wird von Troeltsch anerkannt, daß Overbeck in seiner kritischen Theologie per se auch Agent des gegenwärtigen Wahrheitsbewußtseins ist. Seine Wahrheit hat das Christentum als Urgeschichte, in der das aktuelle Selbstbewußtsein zu seiner Wahrheit kommt, so daß die Kritik des modernen Christentums bei Overbeck als Kritik im Namen des christlichen Wahrheitsbewußtseins verstanden werden kann. Daß Troeltsch Overbeck als Theologen zu würdigen weiß, unterscheidet ihn von denjenigen, „die nur seine [s.c. Overbecks] historische Gelehrsamkeit ...

---

22 Im folgenden zitiert als HZ.

bewundern ... und über die Tatsache, daß er, sich selbst und der Welt zum Trotz, Theologieprofessor war und blieb, ... staunend und mißbilligend den Kopf ... schütteln"[23]. Wo aber findet Troeltsch einen Anhalt, Overbeck als negativen Theologen zu qualifizieren? Da er erkennt, daß Overbeck „mehr Theologe als Historiker" gewesen ist (HZ 287), begründet sich für ihn dieses Urteil nicht primär auf Overbecks kirchengeschichtliche Darlegungen, sondern auf den Inhalt, den Overbeck als das gegenwärtige Wahrheitsbewußtsein, als den „positiven Gehalt der modernen Kultur" herausstellt (286): „,Wir haben vielleicht zu tief in den Grund der Dinge geblickt, sind darum zu einem Moment des Menschenlebens gelangt, in dem wir zu viel von allen Dingen wissen... Von diesem Wissen ist uns nicht zu helfen, und wir haben damit zu leben' (300) und ,Aus dem Individualismus, zu dem sich der gegenwärtige Mensch bekennt, folgt unentrinnbar Vereinsamung. Wer sich in der Welt wirklich streng auf sich selbst stellt, muß auch den Mut finden, sich auf Nichts zu stellen. Vollends kann das menschliche Individuum nicht daran denken, einen Ersatz für Gott jemals an sich selbst zu finden. Wenn der Mensch auf Gott verzichtet, steht er unerbittlich auf sich selbst, und, wenn er dazu getrieben wird, sich auf sich selbst zu stellen, entsagt er Gott... Wer sich auf sich selbst stellt, muß es auch mit sich aushalten; wehe ihm, vermag er es nicht' (286)" (HZ 286). In diesen Sätzen vernimmt Troeltsch „die Stimmen des beginnenden Nihilismus und Anarchismus" (286). Weil Overbeck dabei stehenbleibt, Gott zu entsagen, ist er für Troeltsch „negativer Theologe". Dieser Position gegenüber wirft Troeltsch die Frage auf, die als seine eigene betrachtet werden kann: „Aber was ist denn das von aller Geschichte unabhängige ,Ewige im Menschen', von dem O. gelegentlich spricht?" (286). Auch Troeltsch war zu dem Moment des Menschenlebens gelangt, in dem er zu viel von allen Dingen wußte, um in ihnen noch unmittelbar die Wahrheit zu identifizieren. In seinem Ausblick auf die Unendlichkeit der Geschichte hatte auch er die Relativität der christlich explizierten Wahrheit anerkennen müssen. Aber er hatte, anders als Overbeck, daraus keine nihilistischen Konsequenzen gezogen, sondern hatte im Gottesbegriff diesem Wissen seine Bedrohlichkeit für das aktuelle christliche Wahrheitsbewußtsein zu nehmen versucht. Er verschaffte dem Wissen, die Wahrheit könne auch ganz anders aussehen als sie gegenwärtig wahrgenommen wird, im Gottesbegriff selbst Raum, sofern die „innere Bewegung des göttlichen Lebens" auch das umfassen sollte, was von dem christlichen Selbstbewußtsein nicht angeeignet werden kann und ihm verborgen ist. Dadurch kann er das über

---

23 Barth, Vorträge II, 1.

die historisch gegenständlich wahrnehmbare Geschichte hinaus-
schießende Wahrheitsbewußtsein dem gegebenen christlichen Wahrheitsbewußtsein eingliedern und ist nicht gezwungen, von einer Krise der modernen Theologie zu sprechen wie Overbeck.

Overbeck hält dem gegenüber das Moment fest, daß das Wissen um
das Unbekannte, das die Geschichte umschließt, lediglich das Defizit bewußt macht, mit dem das aktuelle Wahrheitsbewußtsein hinter der Wahrheit Gottes zurückbleibt. Unter diesem Gesichtspunkt
ist dann sogar zu bestreiten, daß das aktuelle Wahrheitsbewußtsein
den Gottesbegriff überhaupt für sich in Anspruch nehmen darf. Die
Erkenntnis, daß die Wahrheit mehr ist, als aktuell wahrnehmbar ist,
findet darum bei Overbeck im Gottesbegriff darin seinen Ausdruck,
daß er ihn nur so in Anspruch nimmt, daß er sagt, man könne ihn
nicht in Anspruch nehmen.

Karl Barth setzt in seiner Besprechung des Overbeckschen Nachlaß-
bandes genau an dieser Stelle ein, indem er die Lehre von Urgeschichte und Tod als „entscheidend für die Einsicht in die grundsätzliche Stellung Overbecks" hervorhebt (Vorträge II, 5)[24]. Er
sieht durch diese Lehre, in der die Freiheit des Selbstbewußtseins
gegenüber der Geschichte bei Overbeck ausgesprochen ist, die Theologie allererst vor ihr Thema gestellt, so daß er ihretwegen Overbeck zu den „„heidnischen Verkündigern der *Auferstehung*' rechnen" möchte (Vorträge II, 8). Sofern er damit Overbeck als „Theologen" würdigt, der „keiner sein wollte" (Vorträge II, 14; vgl. 23),
trifft er sich darin mit Troeltsch. Sofern er ihn deswegen aber nicht
als „negativen Theologen" betrachtet, sondern als „Verkünder der
Auferstehung", zeigt er damit eine neue Stufe des Verständnisses
von Theologie an. Barth erhebt die reine Erfassung der Freiheit des
Selbstbewußtseins gegenüber allen (gegenständlichen) Gehalten seiner selbst zum zentralen Thema der Theologie. Dann kann freilich
nicht mehr die Sinnentleerung der Geschichte durch die grundsätzliche Relativierung ihrer positiven Gehalte beklagt werden, wie
Troeltsch es noch tat, wenn er kritisch an Overbecks Ausführungen
vermerkte, daß in Korrelation zu dessen Lehre von Urgeschichte
und Tod der „Wertmaßstab für [sc. die] Konstituierung historischer
Gegenstände lediglich in der Dauer und nicht in irgendeinem inneren Sinn und Gehalt derselben" liege (HZ 279). In solcher Klage
wäre das Wahrheitsbewußtsein auf die positiven Gehalte seiner
selbst fixiert und stieße nicht zur Erfassung seiner eigenen Freiheit
hindurch. Von Barth wird die Sinnentleerung der Geschichte darum

---

24 Seiner Overbeckdeutung vergewissert sich Barth bei dessen Witwe Ida Overbeck (Werke
   V/3, 380).

gerade positiv gewürdigt. Zustimmend zitiert Barth: „Was ‚Historisch‘ ist oder werden kann, das ist eo ipso *von dieser Welt.* Denn ‚historisch‘ heißt, ‚der Zeit unterworfen‘ (S. 242). Was aber der Zeit unterworfen ist, das ist begrenzt, relativiert, als ‚Welt‘ erklärt durch die ‚letzten Dinge‘, von denen wir nun einmal wissen, ob wir wollen oder nicht“ (Vorträge II, 6). Für Barth hat das Wissen um die letzten Dinge in seiner unmittelbar nur relativierenden Wirkung gerade den positiven Sinn, dem Wahrheitsbewußtsein mittelbar seine Freiheit in der Welt zu ermöglichen: „Können wir die Dinge dieser Welt nicht verteidigen, kann keine der Beziehungen, in die wir zur Welt treten, der relativierenden Kritik standhalten, so können wir sie doch lieben, können auch unsere Kritik nicht ernster nehmen, als sie es verdient (S. 29 u. 248)“ (Vorträge II, 6). Für Barth enthält die „kritische Lehre von Urgeschichte und Tod“ die „tiefe (…) Erkenntnis der Dialektik von Schöpfung und Erlösung“ (Vorträge II, 8). Daß sich das Wahrheitsbewußtsein in seiner geschichtlichen Ausarbeitung selbst nicht mehr in dieser Geschichte und in den Resultaten seiner Tätigkeit mit sich selbst identifizieren kann, wird damit zu einem Grundgedanken der Theologie Barths, die ihr Thema darin findet, die Freiheit des Wahrheitsbewußtseins gegenüber allen positiven Gestaltungen seiner selbst in sich auszuarbeiten.

Die Ausarbeitung dieses derart radikalisierten Wahrheitsbewußtseins als christliche Theologie tritt damit jedoch unter erschwerte Bedingungen. Troeltsch konnte noch die „neutestamentliche Urgeschichte“ als geschichtliches Phänomen zur Symbolisierung und Selbstidentifikation des eigenen Wahrheitsbewußtseins heranziehen (Geschichtlichkeit Jesu, 134, 151). Ist jedoch die Freiheit des Wahrheitsbewußtseins gegenüber jedem seiner positiven Gehalte der zentrale Inhalt des Wahrheitsbewußtseins geworden, scheidet die neutestamentliche Urgeschichte als nur geschichtliches Phänomen für seine Selbstidentifikation aus. Die „neutestamentliche Urgeschichte“ im Sinne Troeltschs (Geschichtlichkeit Jesu, 134) muß als Urgeschichte im Sinne Overbecks zur Selbstidentifikation herangezogen werden. Nur, indem die neutestamentliche Urgeschichte im Sinne Overbecks verstanden wird, ist sie noch zur Selbstidentifikation für das christliche Wahrheitsbewußtsein geeignet, also nur in jener Näherbestimmung, daß sie selbst an jener Sphäre des Unbekannten teilhat, in der sich das christliche Wahrheitsbewußtsein seiner eigenen Freiheit vergewissert. Schrieb Barth 1920 im Anschluß an Overbeck: „Der mögliche Ort des Christentums liegt eben, was sie Vergangenheit betrifft, nicht in der Geschichte, sondern in der Geschichte *vor* der Geschichte, in der *Urgeschichte*“ (Vorträge II, 10), so kann die Dialektik von Barths zweiter Römerbriefauslegung als der Versuch verstanden werden, den Römerbrief als Dokument der Urgeschichte zu lesen. Seine Begegnung mit Overbecks Gedanken wird von Barth im Vorwort zur 2. Auflage ausdrücklich als einer von vier Faktoren genannt, die ihn zur Neufassung seines ersten Römerbriefkommentars veranlaßten. Zitierte Barth 1920 von Overbeck den Satz: „,,Urgeschichtliche Probleme zu betreiben ist nur Forschern erlaubt, die in diesem Licht zu sehen vermögen — also Forschern mit Katzenaugen, die im Dunkeln sich zurechtfinden' (S. 20)" (Vorträge II, 10), so hat er seinen Selbstäußerungen Thurneysen gegenüber zufolge durchaus subjektiv das Bewußtsein, bei seiner zweiten Römerbriefauslegung in „urgeschichtlichen Zonen, mit den berühmten Katzenaugen Overbecks" zu forschen[25].

Sobald sich dieses radikalisierte Wahrheitsbewußtsein jedoch nicht mehr nur im Medium der Exegese, sondern systematisch als es selbst darzustellen versucht, und zwar als christliches, wie das bei Barth 1927 in seinen „Prolegomena zur christlichen Dogmatik" geschieht, dann muß hervortreten, daß es sich in der biblischen Urgeschichte nur dann erfassen kann, wenn es diese nicht als einen Fall von Urgeschichte erfaßt, sondern als Urgeschichte schlechthin identifiziert. Als christlich-theologischer Begriff wird der Begriff der Urgeschichte erst dort verwendbar, wo sein kategorialer Sinn für die Erfassung des christlichen Wahrheitsbewußtseins herausgestellt wird, wo von der Urgeschichte also strikte in der Hinsicht gesprochen

25 Werke V/3, 468; vgl. auch Werke V/3, 481 und die zahlreichen Anspielungen und ausdrücklichen Bezugnahmen auf Overbeck im zweiten Römerbriefkommentar selbst. Die geschichtswissenschaftlichen Konsequenzen aus dem radikalisierten Wahrheitsbewußtsein für die neutestamentliche Wissenschaft versucht Thurneysen in einem Brief vom 2.12.1921 zu ziehen: „Ich habe mich in den letzten Wochen wieder mit Überlegungen zur neutestamentlichen Einleitungswissenschaft im engeren Sinn beschäftigt. Ich glaube, es müßte da einmal als eine Art Prolegomena zur Einleitung der Versuch gemacht werden, zu zeigen, daß alle die verwirrenden Schwierigkeiten, die da als Text-, als Abfassungszeit-, als Verfasser-, als Handschriftenfragen auftauchen, ihren tiefsten Grund in dem unerhörten — *Thema* des NT haben. Das Rätsel des Unhistorischen meldet sich in den undurchdringlichen Rätseldickichten der historischen Überlieferung gerade an diesem Punkt. Es greifen sozusagen *alle* Hypothesen von Schleiermacher bis zu Wellhausen in ganz eigentümlicher Weise in den leeren Raum hinter der Front. Sie zielen wie Radien eines Kreises auf einen Mittelpunkt, und es zeigt sich nur, daß dieser historische Punkt im ‚Unendlichen' liegt, so daß sie alle Parallelen sind, die alle gleichviel Recht und Unrecht haben" (Werke V/4, 17). Wenn auch in der Fixierung auf die neutestamentliche historische Wissenschaft, wird hier zum Bewußtsein gebracht, daß in aller Theoriebildung das Selbstbewußtsein als es selbst tätig ist und daß in dieser Beziehung alle ihr Recht haben, freilich auch, daß in ihnen das Selbstbewußtsein als es selbst darin nicht vergegenständlicht wird, so daß gerade für das christliche Selbstbewußtsein, das sich in der Bibel zu theoretisieren versucht, der Pluralismus der Entwürfe zur Bestätigung seiner eigenen Wahrheit wird.

wird, daß sie einerseits Geschichte und zwar biblische Geschichte bezeichnet, in der das Wahrheitsbewußtsein seine gegenständliche Bestimmtheit hat, daß sie andererseits die „Sphäre des Unbekannten" (Ov. 297) bezeichnet, in der sich das Wahrheitsbewußtsein seiner Freiheit gegenüber jeder bestimmten Ausarbeitung seiner selbst vergewissert. Diese Präzisierung vollzieht Barth in seinen „Prolegomena zur christlichen Dogmatik": „Als ‚urgeschichtliches Ereignis' bezeichnen wir die Fleischwerdung des Wortes, die Offenbarung Gottes in Jesus Christus. Unter ‚Urgeschichte' verstand Franz Overbeck (vgl. Christentum und Kultur, S. 20f) die hinter den neutestamentlichen Quellen als großes X sichtbare, historischer Erforschung und Darstellung gleichzeitig sich darbietende und sich entziehende Entstehungsgeschichte der christlichen Kirche und Verkündigung. Der Begriff war für Overbeck also ein geschichtswissenschaftlicher Hilfsbegriff. Wir nehmen ihn hier auf als theologischen Begriff zur Bezeichnung des eigentümlichen Verhältnisses von Offenbarung und Geschichte... *Offenbarung ist Urgeschichte*" (CD 230). Ist dann aber Jesus als Urgeschichte schlechthin identifiziert, dann kann sich das christliche Selbstbewußtsein an ihm in seiner ganzen Breite auslegen. Es seien hier einige solche Extrapolationen vorgenommen, um die konstitutive Bedeutung zu veranschaulichen, die in Barths Theologie die „Sphäre des Unbekannten" für das aktuelle christliche Wahrheitsbewußtsein gewinnt, im Unterschied zu der Bedeutung, die sie bei Troeltsch hat, wo das christliche Wahrheitsbewußtsein in der Gewißheit, „in der inneren Bewegung des göttlichen Lebens zu stehen" (Geschichtlichkeit Jesu 161), seine Aufgabe darin fand, sich unmittelbar in der bestehenden Welt auszuarbeiten.

1. Sofern das Wahrheitsbewußtsein in Jesus die Sphäre des Unbekannten anschaut, in der es seine eigene nicht mehr gegenständlich auszumachende Herkunft erkennt, identifiziert es sich in Jesus mit dem Satz: In Jesus als der Offenbarung Gottes offenbart sich Gott als Schöpfer der Welt.

2. Sofern das Wahrheitsbewußtsein in Jesus die Sphäre des Unbekannten anschaut, in der die endgültige Wahrheit der gegenständlich wahrnehmbaren Gehalte beschlossen ist, identifiziert es sich in Jesus mit dem Satz: In Jesus als der Offenbarung Gottes offenbart sich Gott als Versöhner der Welt.

3. Sofern das Wahrheitsbewußtsein in Jesus die Sphäre des Unbekannten anschaut, in der es sich der Verbesserungsfähigkeit aller positiven Gehalte bis hin zur Aufhebung ihrer gegenwärtigen Bestimmtheit gewiß wird, identifiziert es sich in Jesus mit dem Satz: In Jesus als der Offenbarung Gottes offenbart sich Gott als Erlöser der Welt.

4. Sofern das Wahrheitsbewußtsein in Jesus die Sphäre des Unbe-

kannten anschaut, der gegenüber es sich der faktischen Nichtigkeit aller bloß positiven Gehalte seiner selbst inne wird, identifiziert es sich in Jesus mit dem Satz: Jesus als Offenbarung Gottes ist die Wahrheit, die unsere Unwahrheit aufdeckt.

5. Sofern das Wahrheitsbewußtsein in Jesus die Sphäre des Unbekannten anschaut, der gegenüber es das Leben durch seine Befangenheit in den positiven geschichtlichen Gehalten charakterisiert sieht, aus der es nur durch die Wahrnehmung von Freiheit herausgeführt werden kann, identifiziert es sich in Jesus mit dem Satz: Die Teilhabe an der Offenbarung Gottes in Jesus ist allein im Glauben an Jesus gegeben, der seinerseits in Werken wirksam ist.

6. Sofern das Wahrheitsbewußtsein in Jesus die Sphäre des Unbekannten anschaut, der gegenüber es erkennt, daß es keine letztgültige Gestaltung der gegenständlichen Welt durch den Menschen gibt, identifiziert es sich in Jesus mit dem Satz: Die in der Tat ihren Ausdruck findende Freiheit des Glaubens sei mittelbar, relativ und formal. Unmittelbare, absolute und inhaltliche Freiheit komme allein Jesus als der Offenbarung Gottes zu.

7. Sofern das Wahrheitsbewußtsein in Jesus die Sphäre des Unbekannten anschaut, deren eigener positiver Gehalt in den gegenständlich wahrnehmbaren Gehalten der eigenen Welt nur durch deren Aufhebung vermittelt werden kann, identifiziert es sich mit der Aussage, es komme ein neuer Himmel und eine neue Erde. Dort werde Gott Alles in Allem sein.

In dieser funktionalisierenden Betrachtung kann nun aber noch ein Schritt weiter gegangen werden. Jüngel hat darauf hingewiesen, daß Barth den Begriff der Urgeschichte in KD I/1, 64 verworfen hat, weil unter ihm Offenbarung als Prädikat der Geschichte gedacht sei. Der Begriff kehre dann aber in der Explikation des innertrinitarischen Geschehens wieder[26]. Die Konsequenz dieses Schrittes Barths wird durchsichtig, sofern bedacht wird, daß mit der unmittelbaren Identifikation Jesu als Urgeschichte, das christliche Selbstbewußtsein nur für sich sein Wahrheitsbewußtsein entfalten kann und dieses von daher gebunden zu sein scheint an die kontigente Christentumsgeschichte. Als Wahrheitsbewußtsein schlechthin kann es sich erst explizieren, sofern es Jesus nicht unmittelbar als Urgeschichte identifiziert, sondern mittelbar, indem es ihn als aus der Sphäre des Unbekannten selbst hervorgegangen denkt, so daß die unmittelbare Identifikation Jesu als Urgeschichte der Identifikation des innertrinitarischen Geschehens als Urgeschichte weicht.

---

26 E. Jüngel, Gottes Sein ist im Werden, 1967[2], 89.

Das christliche Wahrheitsbewußtsein, das in der Sphäre des Unbekannten die an und für sich bestehende Freiheit aller Welt gegenüber erfaßt, identifiziert sich in dem Satz: Gott ist Gott in sich selber. Das christliche Wahrheitsbewußtsein, das in der Sphäre des Unbekannten als solcher die an und für sich bestehende Freiheit aller Welt gegenüber als Gegebenheit erfaßt, identifiziert sich in dem Satz: Gott offenbart sich in Jesus selber.

B. DAS „RELIGIÖSE APRIORI" IN DER THEOLOGIE TROELTSCHS UND DIE KRITIK DIESES BEGRIFFS DURCH BARTH (1912/1925)

Am 5. Oktober 1910 hält Karl Barth als „pasteuer suffragant an (der) deutsche(n) reformierte(n) Gemeinde in Genf"[27] vor der „deutschen Pastoralkonferenz der Westschweiz ... in Neuenburg" ein Referat. Sein Thema, in dem Barth „*das* Problem der protestantischen Theologie der Gegenwart", ja *das* „Problem der christlichen Theologie überhaupt" bezeichnet sieht, lautet: „Der christliche Glaube und die Geschichte"[28]. Im gleichen Jahr, 1910, erscheint in der ersten Auflage des Lexikons „Die Religion in Geschichte und Gegenwart" der Artikel „Glaube und Geschichte" von Ernst Troeltsch[29].

Ähnlich wie Barth eröffnet Troeltsch seinen Artikel mit dem Satz: „Ein besonders schwieriges Problem des heutigen religiösen Denkens ist die Beziehung des G(laubens) auf geschichtliche Dinge."[30] Dieser lexikalische Beitrag Troeltschs zum Thema Glaube und Geschichte bleibt in Barths Referat jedoch zunächst unberücksichtigt. Die Ausgabe des entsprechenden Lexikonbandes erfolgte erst kurz nach seinem Vortrag[31]. „Ein Wort zu ‚Glaube und Geschichte' und zum ‚religiösen Apriori'" von Th. Häring in der Zeitschrift „Die

---

27 Barth, Werke V/1, 305.
28 Schweizerische Theologische Zeitschrift 29, 1912, 1.
29 RGG[1] II, Sp. 1447—1456. Troeltsch selbst äußert sich zu seinen Artikeln in RGG[1]: „Meine positiven Ansichten habe ich in den Artikel Offenbarung, Glaube, Erlösung, Gnade, Prädestination in ‚Religion in Geschichte und Gegenwart' niedergelegt. Zu einer ‚Dogmatik' habe ich mich begreiflicherweise nicht entschließen können" (GS IV, 13). Die posthum von der Freiin Gertrud von le Fort 1925 nach Vorlesungsdiktaten und Mitschriften herausgegebene Glaubenslehre Troeltschs, auf die Barth sich seit 1927 (vgl. Christliche Dogmatik, V) fast nur noch bezieht, hat dem gegenüber nur sekundäre Bedeutung. Sie steht unter dem Vorzeichen, das Troeltsch vor seine „praktische(n) Erziehungsaufgaben" an der theologischen Fakultät allgemein setzt: „Alle Dogmatik sah ich als etwas Praktisches an, bei dem die Unklarheit und Unsicherheit menschlicher Erkenntnis ihre besonders große Rolle spielen, wo aber doch der praktische Hauptwert sich den Herzen als brennende und treibende Kraft mitteilen ließ" (GS IV, 13). Systematisch zu würdigen sind die dogmatischen Äußerungen Troeltschs nur im Zusammenhang mit seiner Religionswissenschaft. Dazu vgl.: Die Dogmatik der religionsgeschichtlichen Schule, GS II, 500—524.
30 RGG[1] II, Sp. 1448.
31 Die Ausgabe von RGG[1] II beginnt am 22. Oktober 1910, siehe dort S. XII.

christliche Welt" vom 24. November 1910 macht Barth jedoch spätestens a if diese konkurrierende Behandlung seines Themas aufmerksam[32]. Barth arbeitet daraufhin nachträglich eine kritische Stellungnahme zu Troeltsch in sein Referat ein[33] und schickt es, als er es 1912 in erweiterter Form in der Schweizerischen Theologischen Zeitschrift abdrucken läßt[34], Ernst Troeltsch zu[35]. Dieser antwortet dem inzwischen nach Safenwil[36] übergesiedelten Pfarrer Karl Barth am 26.4.1912 auf einer Karte aus Heidelberg: „Sehr geehrter Herr Pfarrer! Ich danke Ihnen sehr für die loyale Zusendung Ihrer doch wesentlich gegen mich gerichteten Abhandlung über Glaube und Geschichte. Ich habe in früheren Jahren diesen Standpunkt behaupten zu können gemeint, er erwies sich mir aber als unhaltbar und als lediglich für Orthodoxe allenfalls wirksam. Ich verstehe auch das Überlegenheitsgefühl, mit dem man von einem solchen Standpunkt auf eine so stark tastende Arbeit wie meine herabsehen kann, und lasse es mir gern gefallen. Ergebenst E. Troeltsch."[37] Für Troeltsch ist mit seiner Abweisung Barths die Auseinandersetzung mit Barth beendet.

Troeltsch nimmt auch später nicht mehr zu Barth Stellung, auch nicht aus Anlaß der Veröffentlichung des Römerbriefkommentars, obwohl Barth dazu ein kritisches Urteil von Troeltsch erwartet zu haben scheint[38]. In einem Brief vom 11.2.1922 weiß Barth noch zu

---

32 „Persönlich-Praktisches aus der Dogmatik. 3. Ein Wort zu ‚Glaube und Geschichte‘ und zum ‚religiösen Apriori'" von Th. Häring in: Die christliche Welt 1910, Nr. 47 vom 24. Nov. 1910, Sp. 1106—1110, zitiert von Barth in: Schweizerische Theologische Zeitschrift 1912, 6 Anm. 1. Der Hinweis auf Troeltschs Artikel über Glaube und Geschichte bei Häring, Chr. Welt 1910, Nr. 47, Sp. 1109.

33 Vgl. den Anmerkungsteil und die Textgestaltung auf S. 69 in „Schweizerische Theologische Zeitschrift" 1912.

34 Siehe dort S. 1: „(Erweitertes) Referat".

35 Die Übersendung an Troeltsch ergibt sich aus dessen Antwortkarte vom 26.4.1912, die im Barth-Archiv vorliegt.   36 Barth, Werke V/I, 506.

37 Original im Karl Barth-Archiv, Pfarrer Dr. Hinrich Stoevesandt, Bruderholzallee 26, CH 4059 Basel. − 1927, Barth ist inzwischen Professor in Münster, kommt Barth noch einmal auf seine Abhandlung von 1910/1912 zurück. Er habe „eine größere Abhandlung über Glaube und Geschichte drucken lassen", schreibt Barth ins Münsteraner Fakultätsalbum, „die besser ungedruckt geblieben wäre". Diese selbstkritische Äußerung steht jedoch nicht mehr im Zusammenhang mit seiner damaligen Auseinandersetzung mit Troeltsch, sondern ist vor dem Hintergrund der 1927 erscheinenden „Prolegomena zur christlichen Dogmatik" zu verstehen. Barth will sich von einer Veröffentlichung distanzieren, bei der er noch meinte, „idealistisch-romantische und reformatorische Theologie ... vereinigen zu können" (Barth, Werke V/1, 306).

38 In einem Brief vom 14. Juli 1920 gibt Barth die Urteile wieder, die nach Herausgabe des 1. Römerbriefs über ihn gefällt worden waren: „Also laut HARNACK: THOMAS MÜNZER, laut JÜLICHER: MARCION. Nun sollte mir wirklich auch noch TROELTSCH irgendeinen solchen Ketzerhut aufsetzen" (Werke V/3, 410).

berichten, Troeltsch habe sich „in Basel zu Fritzli geäußert, wir seien nichts als Schwärmer, und er wünsche von uns nur in Ruhe gelassen zu werden" (Werke V/4, 38f). Von sich aus nimmt aber auch Barth die direkte Auseinandersetzung mit Troeltsch nicht wieder auf. Nur als Gogarten Troeltsch in einem Vortrag vor den „Freunden der Christlichen Welt", denen auch Troeltsch angehörte, 1921 in eine öffentliche Diskussion verwickelt[39], bezieht Barth in der zweiten Auflage seines Römerbriefkommentars kurz für Gogarten Stellung[40]. Für ihn selbst jedoch ist die persönliche Auseinandersetzung mit Troeltsch kein Thema mehr. In einem Bericht über seinen im Oktober 1922 auf der Elgersburg gehaltenen Vortrag „Das Wort Gottes als Aufgabe der Theologie" notiert er nur noch, daß Troeltsch bei den dort versammelten „Freunde(n) der Christlichen Welt" nicht anwesend war[41]. Im Februar 1923 stirbt Troeltsch mit 57 Jahren. Barth ist damals 36 Jahre alt[42].
Eine bedeutend engere und für Barths theologisches Denken unvergleichlich folgenreichere Beziehung bestand zwischen Barth und dem Marburger Theologen Wilhelm Herrmann. Diese Beziehung muß hier erwähnt werden, weil sie eine unmittelbare Auswirkung auf Barths Stellung zu Troeltsch hatte. In den Jahren 1908/1909 studierte Barth drei Semester bei Wilhelm Herrmann[43]. Am Ende dieser Zeit veröffentlicht er in der Zeitschrift für Theologie und Kirche „zum Schrecken weniger konsequenter Freunde Herr-

---

39 Gogarten hatte in Heidelberg bei Troeltsch studiert, gehörte aber seit 1920 in den Kreis um Karl Barth. — Auf den Vortrag „Die Krisis unserer Kultur", den Gogarten 1920 auf der Wartburg vor den „Freunden der Christlichen Welt" hielt, antwortet Troeltsch mit einem Artikel „Ein Apfel vom Baume Kierkegaards", und Gogarten repliziert 1922 mit einer Stellungnahme „Wider die romantische Theologie". Alle drei Arbeiten wurden in den entsprechenden Jahren in der „Christlichen Welt" abgedruckt. Sie sind zusammen in den Sammelband „Anfänge der dialektischen Theologie" II, hg. von J. Moltmann (ThB 17), 1963 aufgenommen worden. 1921 charakterisierte Troeltsch Gogarten in einer Rezension mit dem Titel „Die Revolution in der Wissenschaft" ebenfalls als einen „Anhänger Kierkegaards" (Gs IV, 666).

40 Troeltsch: Ein Apfel vom Baume Kierkegaards, in: Anfänge der dialektischen Theologie II, 139f: „Mit seiner [Gogartens] Theologie des absoluten Moments gibt es keinen Pfarrer, keine Gemeindeverwaltung, keine Mission und keine Predigt der Erziehung und Seelenleitung." Dazu Barth, Römerbrief, 1922[2] im 10. Abdruck 1967, 173: „‚Theologie des absoluten Moments' (Troeltsch)? Gerade das ist gemeint!"

41 Rundbrief vom 7.10.1922: „Die ganz großen Löwen Harnack und Troeltsch waren nicht auf dem Plan" (Werke V/4, 105).

42 Troeltschs Leben dauerte vom 17.2.1865 bis zum 1.2.1923, Barths vom 10.5.1886 bis zum 10.12.1968.

43 „Diese 3 Semester in Marburg bilden schlechtweg meine schönsten studentischen Erinnerungen. Ich habe Herrmann mit allen Poren in mich aufgenommen", erinnert sich Barth 1927 (Barth, Werke V/1, 305).

manns"[44] eine Stellungnahme zum Thema „Moderne Theologie und Reichgottesarbeit", in der er sich als entschlossener Anhänger der Theologie Herrmanns präsentiert[45]. Auch 1925 noch, als Barth von einem gründlich gewandelten theologischen Standpunkt aus die dogmatische Prinzipienlehre Wilhelm Herrmanns bespricht, läßt er keinen Zweifel daran, daß er den Anstoß zu eigenem theologischen Denken von diesem seinem Lehrer Wilhelm Herrmann erhalten hat[46]. Bevor sich jedoch dieses eigene theologische Denken zur dialektischen Theologie Barths entwickelt hat, zeigt sich seine Schülerschaft Herrmann gegenüber zunächst einmal darin, daß er dessen Gedanken inhaltlich nach- und mitvollzieht[47]. Wie das in der Kritik seinen Niederschlag findet, die Barth 1912 in seiner Abhandlung über „Glaube und Geschichte" an Troeltsch übt, soll im folgenden gezeigt werden durch den Aufweis der Parallelität der Kritik von Herrmann und Barth an Troeltsch. 1907 kritisiert Herrmann an Troeltsch: „Wenn er von Religion sprechen will, kommt er bald dazu, sich allein mit den in ihr erzeugten Gedanken zu beschäftigen."[48] Ganz entsprechend bemängelt Barth in seiner Abhandlung von 1912, „dass die Diskussion des Problems ‚Glaube und Geschichte'" bei Troeltsch „ganz unter dem Gesichtspunkt des konkreten religiösen ‚Gedankeninhalts'" verlaufe[49]. Die Frage nach den Glaubensgedanken hat nach Herrmann wie nach Barth bei Troeltsch ein zu großes Gewicht gegenüber der Frage nach dem Glauben selbst. Ins Grundsätzliche erweitert sich diese Kritik durch den Vorwurf, daß Troeltsch bei seiner Überbetonung der Glaubensgedanken den Glauben selbst mißverstehe. Das Ursprungsverhältnis von Glaube und Glaubensgedanken scheint sich ihnen bei Troeltsch umzukehren, so daß sich Herrmann zu der polemisch gemeinten Feststellung veranlaßt sieht, Troeltsch vertrete eine „Religion ..., die sich selbst als innere Aneignung von Gedanken auffaßt"[50]. Auch Barth meint diesem falschen Religionsverständnis bei Troeltsch entgegentreten

---

44 Barth, Vorträge II, 279 Anm. 86.
45 Barth, Moderne Theologie und Reichgottesarbeit, ZThK 1909, 317—321, 479—486, unter der Rubrik: Thesen und Antithesen. Seine Stellungnahme rief den Widerspruch von D. Achelis und D. Drews hervor. Kupisch bezeichnet diesen Artikel zurecht als Barths „Summe seiner theologischen Erfahrungen und gewonnenen Überzeugungen" (K. Kupisch, Karl Barth in Selbstzeugnissen und Bilddokumenten, 1971, 26).
46 Vorträge II, 240f.
47 ZThK 1909, 318 spricht Barth das in seinem Beitrag aus: „Die hier vertretene Auffassung des religiösen Individualismus ist an *Herrmann* orientiert."
48 Hermann, Aufsätze, 97.
49 Barth, Gl. u. Gesch., 2, Anm. 1.
50 Herrmann, ThLZ 1912, Nr. 8, Sp. 247, Rezension von Troeltschs Vortrag: Die Bedeutung der Geschichtlichkeit Jesu für den Glauben, Tübingen 1911.

zu müssen, indem er ihm vorhält, der Glaubensvorgang könne doch wohl in keiner Weise in der „Übertragung irgendwelcher Vorstellungen" bestehen oder auch bestehen[51]. Die Gemeinsamkeit von Herrmann und Barth hält sich weiter durch in der Kritik an Troeltschs Religionsphilosophie. Ihr gemeinsamer Vorwurf lautet: Troeltsch unterscheide die Wissenschaft nicht klar genug von der Religion. Weil seine Religionsphilosophie sich als Wissenschaft gebe, gehe sie an der religiösen Wirklichkeit vorbei. „Troeltsch bemerkt ... nicht", schreibt Herrmann 1907, daß bei ihm „den religiösen Gedanken zu viel Ehre angetan wird, oder auch völlig Unrecht, wie man es nehmen will"[52]. Ehre tut Troeltsch den Glaubensgedanken nach Herrmann insofern an, als er in seiner Religionsphilosophie versucht, „für die religiöse Erkenntnis die Allgemeingültigkeit der wissenschaftlichen zu beanspruchen"[53]. Unrecht tut Troeltsch jedoch den Glaubensgedanken in Herrmanns Sicht darum, weil er durch eben diesen Versuch, die Allgemeingültigkeit der Glaubensgedanken darzutun, deren religiöse Eigenart verfälscht. Weil Glaubensgedanken aus dem Glauben kommen, der Glaube aber in einem individuellen Erlebnis wurzelt, seien diese, das ist Herrmanns Schluß, „von vornherein mit dem Verzicht auf Allgemeingültigkeit verbunden"[54]. Allgemeingültige Erkenntnis gibt es nach Herrmann nur auf dem Boden der Wissenschaft, die „das Wirkliche vermittelst der Idee der Gesetzmäßigkeit festzustellen sucht"[55]. Troeltsch bewegt sich daher außerhalb der Religion, wenn er für die Glaubensgedanken Allgemeingültigkeit beansprucht. Die aus dem Glauben stammenden „Urteile über das Wirkliche" können nach Herrmann in ihrem eigenen Sinne „nur wahr sein ... wenn sie ihre individuelle Art nicht verleugnen"[56]. Wie bei Herrmann die Unterscheidung zwischen der individuell bestimmten Religion und der allgemeingültigen Wissenschaft, so bildet für Barth die strikte Unterscheidung zwischen den Problemen „des individuellen Lebens und ... des gesetzlichen Bewußtseins" die Grundlage seiner Kritik an Troeltsch[57]. Wie für Herrmann, so gehört auch für Barth der Glaube „von Haus aus dem Problemkreis des Individuums, nicht der Vernunft", dh. dem gesetzlichen Bewußtsein an[58]. Die Zugehörigkeit

---

51 Barth, Gl. u. Gesch., 67, Anm. 1. – Dort „irgendwelcher Vorstellungen" gesperrt gedruckt.
52 Herrmann, Aufsätze, 98.
53 AaO. 129.
54 AaO. 150.
55 AaO. 132.
56 AaO. 153.
57 Barth, Gl. u. Gesch. 6.
58 Ebd.

des Glaubens zum Problemkreis des Individuums bedeutet auch für Barth, daß die Glaubensgedanken, die der Glaube erzeugt, nicht als „konstitutive *Erkenntnis*" behandelt werden dürfen[59]. Konstitutive Erkenntnis gibt es nur in der Wissenschaft. „Es gibt nur *ein* Wissen und das ist das Wissen des kritischen Rationalismus"[60], pointiert Barth diese seine Meinung, um dann festzustellen, daß nach Troeltsch der Glaube „doch wieder ein *Wissen*" sei, „wenngleich im Sinne *Troeltschs*, naiv primitiver Art"[61]. Die Kennzeichnung des Glaubens als Wissen signalisiert für Barths wie für Herrmanns Systematik, daß sich Troeltschs Denken nicht mehr innerhalb des Problemkreises der Religion bewegt. Troeltschs „Religionsphilosophie und Theologie" leide darunter, stellt Barth daher fest, „dass sie ,anstatt in der Sache zu leben' und *von da aus* über die Sache zu reden", ihren Standort „*über* oder *neben* dem tatsächlichen Glauben" nehme[62]. Es überrascht danach nicht, wenn Barth auch den Spitzenbegriff aus Troeltschs Religionsphilosophie, das religiöse Apriori, ablehnt. Weil das gesetzliche Bewußtsein und das religiöse Leben des Menschen zwei ganz verschiedenartigen Bereichen angehören, ist nach Barth „die Vorstellung eines ,religiösen Apriori' eine contradictio in adjecto"[63]. In gleicher Schärfe polemisiert auch Herrmann gegen diesen Begriff: Die „Idee", unter der sich das schöpferische Denken gestaltet, ist etwas ganz anderes als das „Erlebnis", in dem die Religion gründet. „Wer beides zusammen vertreten will, gerät in ein verwirrendes Spiel mit Worten, wie es in dem Terminus ,das Apriori der Religion' zutage tritt, den Troeltsch verbreitet."[64] Barths Kritik an Troeltsch vollzieht sich so in voller Übereinstimmung mit der Kritik, die sein Lehrer Herrmann an Troeltsch übt. Wie nachhaltig diese von Herrmann übernommene Kritik sein Urteil über Troeltsch bestimmte, zeigt eine Arbeit Barths aus dem Jahre 1925. Obwohl Barth seinen Lehrer Herrmann dort selbst einer grundlegenden Kritik unterwirft, hält er

59 AaO. 4, Anm. 1.
60 AaO. 17, Anm. 4
61 AaO. 2.
62 AaO. 65. Das Zitat bei Barth stammt aus Fichte: Anweisung zum seligen Leben (sechste Vorlesung). Barth selbst zitiert die entsprechende Stelle ausführlicher auf S. 17 seiner Abhandlung als Beleg für die „Herausschälung der *Autonomie des Bewußtseins* aus den Krusten der mittelalterlichen Zwangskultur": „Nur das Metaphysische, keineswegs aber das Historische macht selig. Ist nun jemand wirklich mit Gott vereinigt und in ihn eingekehrt, so ist es ganz gleichgültig, auf welchem Wege er dazu gekommen: und es wäre eine sehr unnütze und verkehrte Beschäftigung, anstatt in der Sache zu leben, nur immer das Andenken des Weges sich zu wiederholen."
63 AaO. 54, Anm. 1.
64 Herrmann, ThLZ 1912, Nr. 8, Sp. 246.

dessen Einwände gegen Troeltsch auch jetzt noch für „sehr gut"[65], wenngleich er sie nun ganz anders begründet sehen möchte, damit die „Abwehr gegen ... Troeltsch ... in sich sinnvoll" sei[66]. Bei aller Gefolgschaft, die Barth 1912 Herrmann gegenüber bewies, war er sich aber auch bewußt, daß der Gegensatz zwischen Herrmann und Troeltsch sich sehr verringerte, wenn man ihn auf das Gesamtspektrum der Theologie jener Zeit bezog. Es sei „ungleich schwieriger", schrieb Barth 1909, „aus den Kollegiensälen Marburgs oder Heidelbergs zur Tätigkeit auf der Kanzel ... überzugehen, als aus denen Halles oder Greifswalds"[67]. Weil er sah, daß in Marburg und Heidelberg „moderne Theologie" gelehrt wurde, rückten

---

65 Barth, Vorträge II, 268.
66 Barth, Die dogmatische Prinzipienlehre bei Wilhelm Herrmann, in: Vorträge II, 270. – Die Aufforderung, über „Herrmann ... in Halberstadt bei den Freunden der Chr. Welt über Freiheit" zu reden, veranlaßt Barth 1925 zu einer erneuten Beschäftigung mit Herrmann. (Rundbrief Barths vom 15.2.1925, Werke V/4, 308.) Zur Grundlage seines Vortrags nimmt er die Dogmatikdiktate Herrmanns, die 1925 gerade posthum veröffentlicht worden waren und von denen er noch eine eigene Nachschrift aus seiner Marburger Studentenzeit besaß (aaO. 244). Darüberhinaus zieht er neben anderen Schriften Herrmanns den 1923 erschienenen Aufsatzband heran. Ihm entnimmt er die Kritik Herrmanns an Troeltsch, die 1912 seine eigene gewesen war (aaO. 248). Er ergänzt sie aus einer Troeltschrezension Herrmanns aus dem Jahre 1912 (aaO. 254). Im Blick auf die Kontroverse Herrmann – Troeltsch nimmt er spätestens jetzt auch zur Kenntnis, was Troeltsch 1902 zu Herrmanns Ethik geschrieben hatte (aaO. 245), und was Troeltsch dem Herrmann-Schüler Paul Spieß auf dessen Kritik am religiösen Apriori antwortete (aaO. 271). Auf dieser literarischen Basis erarbeitete Barth 1925 seinen Vortrag über Herrmann, in dem er sich in einer Nebenlinie auch mit Troeltsch beschäftigt. Unter dem Titel „Die dogmatische Prinzipienlehre bei Wilhelm Herrmann" trägt er seinen Vortrag am 13. und 17. Mai 1925 im Wissenschaftlichen Predigerverein in Hannover und auf der Tagung des freien Protestantismus in Halberstadt vor (aaO. 240). Er wird im gleichen Jahr in „Zwischen den Zeiten" abgedruckt und 1928 in den zweiten Vortragsband Barths „Die Theologie und die Kirche" aufgenommen. Ein Bericht über die Tagung in Halberstadt findet sich in „An die Freunde" Nr. 80 (Hinweis von Stier, in Chr. Welt 1925, Nr. 27/28, Sp. 524). Seinen persönlichen Eindruck von dieser Tagung gibt Barth in einem Rundbrief vom 7. Juni 1925 wieder (Werke V/4, 330f). Literarkritisch läßt sich feststellen, daß Barth Herrmanns Kritik an Troeltsch, die 1912 auch die seine war, ergänzend in sein Referat der „ersten 40 Seiten der ... Dogmatikdiktate" Herrmanns einschiebt. Vgl. dazu Wilhelm Herrmann, Dogmatik, 1925, 8f und Barth, Vorträge II, 428. Die Gründe für diesen Einschub lassen sich nur vermuten. Vielleicht greift Barth in diesem Exkurs zu Troeltsch eine Anregung seines Freundes Thurneysen auf, der ihm schrieb, als er an seinem Vortrag über Herrmann arbeitete: „Ich bin ... froh darum, daß du dich zu ihm äußerst, vielleicht lassen sich dabei auch gerade noch einige falsche Priester hinrichten, ohne daß man extra groß gegen sie ausholen müßte" (Thurneysen an Barth am 9. April 1925, Werke V/4, 324f).
67 Barth, ZThK 1909, 317.

in seinen Augen diese Fakultäten sehr eng zusammen[68], sobald es galt, sich von den „Hochburgen der biblischen Orthodoxie" abzugrenzen, wie er sie damals in Halle und Greifswald vorfand[69]. So kann Barth später sein Verhältnis zu Troeltsch, wie es sich aus seinem besonderen Schülerverhältnis zu Herrmann und im Blick auf die theologische Gesamtlage jener Zeit ergab, folgendermaßen umschreiben: „Der damals im Mittelpunkt unserer Diskussion stehende Name Troeltsch bezeichnete die Grenze, diesseits derer ich der damals herrschenden Theologie die Gefolgschaft verweigern zu müssen meinte. Im übrigen fühlte ich mich ... als ihr entschlossener Anhänger."[70]

Die gemeinsame Ablehnung der Orthodoxie durch Troeltsch und Barth findet um 1910/12 in ihrer Stellungnahme zum Thema „Glaube und Geschichte" darin ihren Ausdruck, daß sie sich beide gegen ein Verständnis des Glaubens wenden, wonach dieser „ein bloßes Fürwahrhalten der Überlieferung und der überlieferten Lehre" ist[71]. Ihre Ablehnung beruht auf der Einsicht, daß die christliche Überlieferung und Lehre für das kritische Bewußtsein keine unmittelbar einleuchtende oder verpflichtende Kraft mehr besitzen[72]. „Heilstatsachen" kommen als Tatsachen, wie sie sonst verstanden werden, nicht in Betracht, schreibt Troeltsch[73]. Die „Erkenntnis weigert sich ..., solche Behauptungen in ihrem Zusammenhang aufzunehmen", wendet Barth gegen sie ein[74]. Unmöglich geworden ist für Troeltsch und Barth auch eine Übernahme der christlichen Lehre auf Grund bloßer Autorität. „Die moderne Welt ist auf allen Ge-

---

68 In seiner Rezension von M. Költz, Was sollen wir tun? Ein Laienvotum zur gegenwärtigen Krisis in der evangelischen Kirche, Leipzig 1908 (in: Chr. Welt 1909, Nr. 10, Sp. 236f) verteidigt Barth „Troeltsch, Bousset und Wernle" als Vertreter „unserer akademischen Theologie", die von dem Verfasser „gründlich mißverstanden" werde.

69 Kupisch, Karl Barth, 26. Barth, der in seinem Beitrag zur ZThK 1909 über „Moderne Theologie und Reichgottesarbeit" das Problem aufwirft, wie unter Voraussetzung des religiösen Individualismus den Bedürfnissen der Kirchen entsprochen werden könne, bewegt sich mit seiner Problemstellung ganz im Fragenkreis, der auch Troeltsch in Heidelberg beschäftigte, wie Troeltschs Vortrag „Religiöser Individualismus und Kirche" aus dem Jahre 1910 zeigt (GS II, 109—133).

70 Werke V/1, 505.

71 Troeltsch, Glaube, Sp. 1439; vgl. 1437; Barth, Gl. u. Gesch., 11, 14.

72 Troeltsch, Glaube, Sp. 1450—1452; Barth, Gl. u. Gesch., 15—17.

73 Troeltsch, Artikel Heilstatsachen in RGG[1].

74 Barth, Gl. u. Gesch., 14. Die von Barth an dieser Stelle gemachte Einschränkung „vielleicht", die hier im Text ausgelassen wurde, entfällt bei ihm selbst, wo er sich grundsätzlich äußert: „Nachdem ich mir kritisch darüber klar geworden bin, was meine Vernunft leisten, *dh. aufnehmen kann,* kann und darf ich nicht hingehen und nun trotzdem Gedanken, deren Wahrheitsgehalt ich mindestens vernunftgemäß nicht feststellen kann, auf Autorität hin annehmen" (aaO. 17).

bieten die Welt der individuellen Autonomie" kennzeichnet Troeltsch die Lage[75], und Barth stellt fest: Autonomie ist die *kritische* Instanz, die das Bewußtsein in seiner eigenen *Gesetzlichkeit* entdeckt. Hinter die damit erreichte geistige Entwicklungsstufe können wir nicht zurück."[76] Weil Troeltsch und Barth den kritischen Anspruch des autonomen Bewußtseins für berechtigt halten, depraviert für sie das einfache Fürwahrhalten der christlichen Überlieferung zum bloßen Fürwahrhalten und wird als solches abgelehnt. Wo dem Menschen abverlangt wird, zweifelhafte Heilstatsachen für wahr zu halten oder auf Grund von Autorität anzunehmen, wird er in den Selbstwiderspruch geführt, daß er im Glauben jene Autonomie verleugnen soll, die er sonst in der Kritik von Überlieferungen und Autoritäten mit Erfolg betätigt. Troeltsch weiß: „Eine sittliche Pflicht der Unabhängigkeit von schwankenden Überlieferungen und äußeren Autoritäten gibt es erst, seit die Überlieferungen schwankend und die Autoritäten äußerlich geworden sind."[77] Er vollzieht daher seine Abkehr von der Orthodoxie, indem er seine Theologie dem Neuprotestantismus zuordnet, der dem neuzeitlichen kritischen Bewußtsein in sich selbst breitesten Raum gibt. Barth ist dem gegenüber nicht auf eine historische Einordnung seiner Kritik bedacht, sondern verabschiedet die Orthodoxie mit dem Vorwurf der Unsittlichkeit. Sie bringe im Menschen „das Wertvollste ..., die Aufrichtigkeit gegen sich selbst in schwere Gefahr" und habe „in dieser Hinsicht unzählige religiöse Existenzen auf dem Gewissen"[78].

Die Gemeinsamkeit von Troeltsch und Barth liegt jedoch nicht nur in der Ablehnung der Orthodoxie. Sie zeigt sich auch darin, wie sie ihrerseits der neuzeitlichen Autonomie in ihrer Theologie Rechnung tragen. Sie begreifen die christliche Lehre in ihrem gesamten Umfang ausdrücklich als Erzeugnis und Hervorbringung gläubiger Menschen, die durch solche Lehrbildung ihrem Glauben Ausdruck verliehen haben. Statt „Glaubensartikel" pflegt man in der modernen Theologie lieber *Glaubensgedanken* oder *religiöser Vorstellungsausdruck* zu sagen", schreibt Troeltsch[79]. Und Barth schließt sich dem an, wenn er selbst, um den Lehrbestand zu charakterisieren, von „gewesenen Glaubens*gedanken*" spricht[80]. In diesem Verständ-

---

75 Troeltsch, Glaube, Sp. 1450.
76 Barth, Gl. u. Gesch., 17. – Daß damit „die altprotestantische Fassung des Begriffs der geschichtlichen Autorität ... in jedem Sinne unmöglich wird", stellt Barth mit ausdrücklichem Anschluß an Troeltsch fest (aaO. 17).
77 GS II, 572.
78 Barth, Gl. u. Gesch., 14.
79 Troeltsch, Glaube, Sp. 1457.
80 Barth, Gl. u. Gesch., 1.

nis der christlichen Lehre als Ausdruck des Glaubens verliert die Lehre ihren objektivistischen Schein und wird durchsichtig auf die Menschen hin, die sie gestaltet haben. In „eigenen spontanen religiösen Stellungnahmen" erzeugt nach Troeltsch „das religiöse Leben und Denken der Gläubigen" die Glaubensgedanken und -vorstellungen[81]. Nach Barth sind sie die „intellektuellen Manifestationen" des jeweils zugrundeliegenden Glaubens[82]. Diese Zurückführung der christlichen Lehre auf die Tätigkeit gläubiger Menschen hat jedoch nicht nur einen historischen Aspekt. Das Verständnis christlicher Lehre als Ausdruck des Glaubens hat Konsequenzen auch für die Gegenwart, kann es doch als Rechtsgrund dafür in Anspruch genommen werden, daß auch die gegenwärtig lebenden Christen aus ihrem Glauben Glaubensgedanken erzeugen dürfen. In dieser Hinsicht impliziert das Verständnis christlicher Lehre als Syndrom von Glaubensgedanken die Anerkennung der Freiheit der Gläubigen zu autonomer Gedankenbildung in Fragen des Glaubens. Die Tatsache, daß Troeltsch und Barth sich dieses Verständnis christlicher Lehre aneignen, zeigt, daß sie der Autonomie des Menschen auf dem Gebiet der Religion im begrifflichen Ansatz ihrer Theologie Rechnung tragen.

Daß die Freiheit der Gläubigen zu autonomer Gedankenbildung jedoch nicht nur als Befreiung von den Ansprüchen der Tradition begrüßt werden kann, sondern auch neue Probleme aufwirft, zeigt Barth in seinem Aufsatz über „Moderne Theologie und Reichgottesarbeit"[83]. Weil ihm „der Mantel angenommener Lehre" fehlt[84], schreibt Barth dort, ist dem modernen Theologen „die Aufgabe religiöser *Gedanken*bildung im kirchlichen Amt in ganz anderer Weise Problem als seinen konservativen Kollegen"[85]. Für „die gedankliche Mitteilung und Aussprache" des Glaubens „besaß die ältere Theologie irgendwie bestimmte als unter Christen gültige Normen, während wir uns vor die Aufgabe gestellt sehen, solche Normen selber zu gewinnen, in einem Mal zu produzieren und zu reproduzieren"[86]. Diese Sätze zeigen, daß sich die Freiheit zu autonomer Gedankenbildung für den, der sie beansprucht, sofort in die Forderung verwandelt, er müsse nun selbst die Normen christlicher Rede „in einem Mal ... produzieren und ... reproduzieren". Drückend muß diese Autonomieforderung empfunden werden, weil der, der

---

81 Troeltsch, Glaube, Sp. 1445, 1440.
82 Barth, Gl. u. Gesch., 1.
83 Barth, ZThK 1909, 480.
84 AaO. 480.
85 AaO. 485.
86 AaO. 483.

42

ihr in der Praxis nachzukommen versucht, sich nun nicht mehr auf vorgegebene Autoritäten und Traditionen berufen darf, sondern alles aus sich selbst hervorholen muß. Die Schwierigkeiten, die dadurch speziell für die Theologen entstehen, die von Berufs wegen zu religiöser Gedankenbildung genötigt sind, werden von Barth klar gesehen. Die Theologen seien „immer begleitet von der Skylla des Pfaffentums, das mehr bietet als es hat, und der Charybdis des Agnostizismus, der überhaupt nichts bietet"[87]. Mit solchem Problembewußtsein tritt Barth 1909 selbst in den kirchlichen Dienst ein[88]. Einen Weg, der gleichsam zwischen Skylla und Charybdis hindurchführen soll, deutet Barth dort an, wo er die Ausbildung der Glaubensgedanken mit einer kritischen Aufnahme der christlichen Tradition verbunden denkt. Der einzelne Theologe wird danach „rücksichtslos genötigt", zu den bereits ausgebildeten, überlieferten Glaubensgedanken „selber Stellung ... zu nehmen, dh., sich selber vor die Frage zu stellen, ob und inwiefern sie Ausdruck auch seines Glaubens sind"[89].

Dieser von Barth programmierte Weg wird von Troeltsch in seinem Lexikonartikel behutsam begangen, indem er die radikale Autonomieforderung in die Forderung nach einem kritischen Umgang mit der Tradition transformiert. Danach äußert sich die Autonomie der Gläubigen primär in der „Form der Aneignung" von Glaubensgedanken. Nur soll diese Aneignung „nicht durch bloße Autorität, sondern durch eigene Überzeugung und Gewissensnotwendigkeit zustande kommen"[90]. In zweiter Linie erst soll sich die Autonomie der Gläubigen dann auch in der inhaltlichen Gestaltung der Glaubensgedanken verwirklichen, indem die „Autonomie ... zur Kritik und Weiterbildung der Überlieferung" fortschreitet[91]. Daß Troeltsch sich der bei Barth erhobenen Forderung nicht anschließt, ein moderner Theologe müsse die Normen christlicher Rede „in einem Mal ... produzieren und reproduzieren", erklärt sich daraus, daß Troeltsch die Möglichkeiten einer vollständigen Verwirklichung religiöser Autonomie im Blick auf die „Schwäche ... der durchschnittlichen religiösen Subjektivität" reflektiert[92]. Nur als Ausnahmefall zieht Troeltsch den „produktiven Genius" in Betracht, der in der Kraft seiner religiösen Subjektivität tatsächlich fähig ist, ein „neues oder überwiegend neues Ganzes" religiöser Vorstellungen

---

87 AaO. 320f.
88 AaO. 486.
89 AaO. 319.
90 Troeltsch, Glaube, Sp. 1453.
91 AaO. 1457.
92 AaO. 1452f.

zu schaffen, während Barth jedem Theologen anlastet, die überlieferten Glaubensinhalte als Ausdruck seines Glaubens in der Weise zu haben, daß er sie in einem Mal produziert und reproduziert[93]. Der von Troeltsch vorgenommenen Unterscheidung in der Kräftigkeit der religiösen Subjektivität schließt Barth sich nicht an. Er reflektiert vielmehr die Möglichkeiten der Verwirklichung religiöser Autonomie im Blick auf die immanente Logik der Autonomieforderung, unter der jede religiöse Subjektivität als solche steht. So fordert er den Theologen jene volle Autonomie ab, die Troeltsch nur dem religiösen Heros, dem produktiven Genius zubilligen wollte. Er soll die Normen christlicher Rede „in einem Mal ... produzieren und ... reproduzieren".

Von hier aus erhellt sich dann aber auch Barths Kritik an Troeltsch. Weil nach Troeltsch die religiöse Subjektivität ihre Autonomie primär in der „Form der Aneignung" von vorgegebenen Glaubensgedanken und erst sekundär in ihrer Um- und Weiterbildung hat, ist Barth nicht mehr einsichtig, wie die religiöse Subjektivität sich nach Troeltsch in diesen Glaubensgedanken noch als sie selbst weiß, wie die Glaubensgedanken bei Troeltsch für die religiöse Subjektivität also noch als Gedanken des Glaubens ausgewiesen sind. Den Charakter von Glaubensgedanken hätten sie nach Barth nur dann, wenn in ihnen die religiöse Subjektivität die Normen christlicher Rede in einem Mal produzierte und reproduzierte, so daß diese Gedanken in Vollständigkeit ein Ausdruck der religiösen Subjektivität selbst wären. Wenn Troeltsch einerseits mit dem konstruktiven Charakter der Glaubensgedanken argumentiert und damit die religiöse Subjektivität in der Ausbildung dieser Gedanken als an sich frei voraussetzt, dann aber doch behauptet, die religiöse Subjektivität konstituiere sich erst durch die Aneignung von Glaubensgedanken, nimmt er im zweiten Schritt zurück, was er im ersten der Orthodoxie vorauszuhaben schien. In seiner Anzeige des Troeltschvortrages: „Die Bedeutung der Geschichtlichkeit Jesu für den Glauben", bemerkt daher Herrmann in der ThLZ — und Barth referiert das 1925 als eine, wenn auch boshafte, so doch treffende Bemerkung —: Troeltsch sei „gewiß ‚nur zu geschmackvoll' ..., um sich selbst die Dekoration ‚positiv' beizulegen"[94].

In seinem Vortrag über „Glaube und Geschichte" von 1912, in dem Barth Troeltsch in der oben dargestellten Weise kritisiert, ist Barth seinerseits nun freilich genötigt, anzugeben, wie sich denn seiner Meinung nach die religiöse Subjektivität konstituiere, wenn nicht

---

93 AaO. 1439f.
94 Vorträge II, 254. Zitat im Zitat ThLZ 1912, Nr. 8, Sp. 247.

durch die Übernahme von Glaubensgedanken. Das zeigt Barth 1912 in einer „religions-philosophischen Grundlegung" und ihrer „christlich-theologisch-*dogmatischen*" (55) „Anwendung" (58). Nach Barth erfaßt der Mensch in seinem „Kulturbewußtsein in Logik, Ethik und Ästhetik" (53) wohl eine allgemeine Gesetzlichkeit doch nicht sich selbst als er selbst. Um seiner selbst als er selbst innezuwerden, bedarf er vielmehr einer besonderen „Anschauung, in der die Realitätsbeziehung des religiösen Lebens wirklich ist" (53), einer Anschauung, die dem Menschen in der Weise zu sich selbst verhilft, daß sie ihm ein unmittelbares Bewußtsein seiner selbst vermittelt. Die Möglichkeit solcher Anschauung ist nun nach Barths Ausführungen von 1912 in der „Theopneustie der Geschichte" gegeben (70), so daß er im Blick auf die theopneuste Geschichte sagen kann: „Die wirksame Geschichte ist der gewirkte Glaube" (58; vgl. 61, 63, 71, 72). Zu der christlich-theologisch-dogmatischen Anwendung dieses religionsphilosophischen Grundgedankens kommt es dann dadurch, daß der Einzelne die theopneuste Geschichte immer in einer besonderen Anschauung dieser Geschichte hat, wodurch für ihn dann diese „einzelne bestimmte Anschauung ... ebenso notwendig als frei zum Zentralpunkt der ganzen Religion gemacht' und alles darin auf sie bezogen wird" (54)[95]. Hier liegt für das christliche Selbstbewußtsein der Grund für seine spezifisch christliche Selbstdarstellung. Es hat für sich die theopneuste Geschichte in der Anschauung Jesu und sagt darum von Jesus: „Die Wirksamkeit Gottes ist *er selbst*" (59). „Ihn sehen, heißt, ihn sich zu eigen machen", schreibt Barth in der dogmatischen Anwendung seines religionsphilosophischen Gedankens (62). Das einzigartige Faktum seines Selbstbewußtseins, seines inneren Lebens beginnt einzutreten in das unsrige" (62). Die christliche, religiöse Subjektivität konstituiert sich nach Barth demnach dadurch, daß sie in der Anschauung des inneren Lebens Jesu unmittelbares Selbstbewußtsein gewinnt. Weil sie darin als sich wissende Subjektivität konstituiert ist, ist sie in der Bildung von Glaubensgedanken dann aber auch an und für sich frei. Sie spricht über nichts, was ihr äußerlich wäre, wenn sie Jesus als Glaubensgrund darstellt, denn der „Christus außer uns ist zugleich der Christus in uns", sondern sie ist von sich aus im Stande, die Normen christlicher Rede in einem Mal zu produzieren und zu reproduzieren.
Barths Kritik an Troeltsch zieht 1912 demnach daraus ihre Kraft, daß sich die religiöse Subjektivität nach Barth im Prinzip ohne die

---

95 Zitat im Zitat aus Schleiermachers Reden, Fünfte Rede, 160 nach der Ausgabe von Otto.

Vermittlung von Glaubensgedanken auf Grund unmittelbarer Anschauung des inneren Lebens Jesu als Subjektivität wissen kann. Sofern für die Erschließung Jesu als Glaubensgrund doch historische Mitteilungen über Jesus eine Rolle spielen, bestimmt Barth diese als „*heterogene* Größen" (65) und scheidet sie für sich als nicht zur Sache gehörig aus, während „das psychologisch-historische Vehikel, das die im tatsächlichen Glauben vorliegende unmittelbare apprehensio Christi in corde möglich macht" (65) die „*Gemeinde Christi*" ist (66): „Durch lebendig gewordene Menschen wird der lebendige Mensch den Menschen vermittelt. So erweitert sich uns der Begriff der im Glauben angeschauten Geschichte, den wir bis dahin scheinbar als eine isolierte Tatsache an der Wende der Zeiten aufgefaßt, zu einer durch die Jahrtausende hin wirksamen Tatsache. *Der historische Jesus wird zum auferstandenen lebendigen Christus in der Gemeinde* Christi" (66). Sofern in der Frage, wodurch sich die Subjektivität als sie selbst wissen könne, das Offenbarungsproblem gestellt ist, stellt Barth seine Sicht des Unterschiedes von seiner Auffassung und derjenigen Troeltschs in folgender Anmerkung deutlich dar: „Sollte das Problem der Offenbarung in der Übertragung *irgendwelcher Vorstellungen* aus einem fremden ... Bewußtsein in das meinige bestehen oder *auch* bestehen, dann wäre es in der Tat von den Schwierigkeiten bedrückt, die *Troeltsch* in den eingangs erwähnten Lexikon-Artikeln ausführlich darstellt, und ich wäre dann geneigt, die Situation noch viel skeptischer zu beurteilen, als es dort geschieht. Aber was hat denn die Dialektik der Vorstellungen mit dem Offenbarungs-resp. Glaubensvorgang zu schaffen... Das Problem der Offenbarung besteht ... im Sehen und Aneignen *unmittelbaren Lebens,* das uns zunächst in der Person des Andern entgegentritt. Das *Distanzgefühl*, das mich zunächst von ihm absolut zu trennen scheint, entspricht der *notwendigen* Distanz zwischen den Setzungen seines und meines *objektiven Bewußtseins* und hieher (sic.) gehören alle jene Schwierigkeiten, die *Troeltsch* so anschaulich zu schildern weiß. Jene Distanz besteht aber *nicht notwendig* zwischen dem Leben seines und meines *unmittelbaren Selbstbewußtseins*... (es) giebt ... Menschen, ...die einander ‚offenbar' werden, die ‚sich verstehen' — *mittels* ihrer Gedanken und Wort, *trotz* ihrer, *ohne* sie oder sonstwie" (67 Anm. 1).

Troeltsch bestätigt Barth den Empfang dieses Vortrags u.a. mit der Bemerkung: „Ich habe in früheren Jahren diesen Standpunkt behaupten zu können gemeint, er erwies sich mir aber als unhaltbar und als lediglich für Orthodoxe allenfalls wirksam. Ich verstehe auch das Überlegenheitsgefühl, mit dem man von einem solchen Standpunkt auf eine so stark tastende Arbeit wie meine herabsehen kann,

u. lasse es mir gern gefallen" (s.o. 34). Die folgende Darstellung soll diese Antwortkarte Troeltschs in der Weise aus seinen Werken kommentieren, daß sie einmal erklärt, warum Troeltsch selbst den bei Barth sichtbar werdenden Standpunkt „als unhaltbar und als lediglich für Orthodoxe allen — falls wirksam" verlassen hat, warum er seine eigene Arbeit um 1912 dann aber als eine „stark tastende Arbeit" bezeichnet, und warum er doch diese stark „tastende Arbeit" dem von Barth vertretenen Standpunkt vorziehen zu sollen meint, so daß er die Despektierlichkeit, mit der sie von Barth behandelt wird, sich „gern gefallen" lassen kann.

Troeltsch erkennt in der von Barth vorgelegten Schrift einen von ihm selbst früher einmal vertretenen Standpunkt wieder. Wissenssoziologisch weist das auf ihr gemeinsames Erbe Ritschls hin, dessen Schüler Troeltsch früher gewesen war (s. GS IV, 5) und unter dessen Einfluß Barth in der Vermittlung seines Lehrers Herrmann stand. Schon in seinen ersten Schriften, in denen Troeltsch noch in einer Barth verwandten Weise die „Selbständigkeit der Religion" aus der Religionspsychologie unmittelbar zu begründen versuchte[96], ist er nicht mehr damit zufrieden, Jesus durch ein Glaubensurteil der übrigen Historie absolut gegenüberzustellen. Diese Weise, „Die christliche Weltanschauung und ihre Gegenströmungen" zu entflechten[97], schien ihm nur auf dem Standpunkt der Orthodoxie noch möglich zu sein. Es mußte seiner Ansicht nach die Stellung des Christentums in der allgemeinen Religionsgeschichte thematisiert werden. In seiner Schrift: „Geschichte und Metaphysik" von 1898 verteidigt er das Recht dieser Fragestellung gegen den Ritschl-Schüler Kaftan[98], dem sich anzuschließen Barth in seinem Vortrag gerade für richtig hält (Gl. u. Gesch. 58). Troeltsch ist es nicht mehr möglich, „Die Absolutheit des Christentums und die Religionsgeschichte" wie Wahrheit und Lüge nebeneinander stehenzulassen[99]. In seinen autobiographischen Notizen: „Meine Bücher", schreibt Troeltsch über die derart begriffene Problemlage: „Es wurde mir zum Grundgedanken, daß die Religion als ein Bewußtseinserlebnis zunächst psychologisch unter Offenlassung der verschiedensten konkreten Gestaltungen studiert und in ihre verschiedenen Komponenten und Äußerungen zerlegt werden müsse, daß erst dann die Frage nach dem Wahrheitsgehalt und nach dem Wertverhältnis der verschiedenen konkreten, geschichtlichen Religionen einsetzen könne. Das führte

---

96 ZThK 5/6, 1895/1896, 361—436; 71—110; 167—218, vgl. Bodenstein, 18ff.
97 Die christliche Weltanschauung und ihre Gegenströmungen, ZThK 1894 = GS II, 227—327.
98 ZThK 8, 1898, 1—69.
99 Die Absolutheit des Christentums und die Religionsgeschichte, 1902.

naturgemäß auf die Frage des Übergangs von psychologischen Beschreibungen und Analysen zu kritischen Untersuchungen über Wert und Wahrheitsgehalt, damit auf die Probleme des Verhältnisses von psychologischer Analyse zu gültigkeitstheoretischer Anerkennung" (GS IV, 8). Indem Troeltsch anerkennt, daß die religiöse Subjektivität, die sich in der Anschauung Jesu an und für sich als Subjektivität weiß, sich nur für sich als Subjektivität wissen kann, kann er für sich den Wahrheitsgehalt der christlichen Religion und der Religionen überhaupt nicht mehr unmittelbar in deren Glaubensgedanken identifizieren, sondern er ist zu deren gültigkeitstheoretischer Untersuchung genötigt. Auf diesem Standpunkt kann Troeltsch Herrmann gegenüber dann zwar noch seine „praktische Gemeinsamkeit mit ihm ... betonen", doch kann er in ihm in theoretischer Hinsicht nur noch einen „Erbauungsschriftsteller" erblicken (GS II, 768), der der Orthodoxie zuzurechnen ist und „Absolutheits-Apologetik" betreibt (GS II, 647). Troeltsch weist Barths Schrift über Glaube und Geschichte als „lediglich für Orthodoxe allenfalls wirksam" zurück[100].

Troeltschs eigene Arbeit wird unter solcher Problemstellung dann aber zu einer sehr „stark tastende(n) Arbeit", weil für ihn die Frage, wodurch die religiöse Subjektivität sich als sie selbst wissen könne, unmittelbar überhaupt nicht mehr zu beantworten ist. An dieser Stelle führt Troeltsch den Begriff des religiösen Apriori ein[101] und entwirft ein religionswissenschaftliches Programm, durch dessen Abarbeitung sich die religiöse Subjektivität als sie selbst mittelbar zum Bewußtsein bringen können soll, wobei sie freilich unter den Bedingungen der Geschichte ohne metaphysische Annahmen nicht auskommt[102]. Diese Phase von Troeltschs Denken hat Barth vor Augen, wenn er 1925 jene Zeit als eine Zeit charakterisiert, „da eben der Stern Troeltschs mit den weltweiten Programmen und Perspektiven ... seinem Zenith sich näherte"[103].

Weil Troeltsch sich mit seiner Problemstellung der Herrmann-Barthschen Position überlegen weiß, kann er sich das „Überlegenheitsge-

---

100 Barth sieht den von Troeltsch an Herrmann kritisierten Punkt 1925 richtig, wenn er schreibt: „Der ‚Weg zur Religion‘ ist der Weg von der individuell erlebten Problematik von Wahrheit und Wirklichkeit zu ihrer ebenso individuell erlebten Lösung in der Überwindung durch Gott oder in der freien Hingabe an ihn. ... Vermutlich im Blick darauf hat ihn Troeltsch Bosheit mit Bosheit erwidernd ‚einen unserer lebendigsten Erbauungsschriftsteller‘ genannt" (Vorträge II, 270f). Daß Troeltsch damit zum Agent der Allgemeinheit der christlichen Religion wird, stellt Barth nicht heraus.
101 „Das Historische in Kants Religionsphilosophie" (1904) und „Psychologie und Erkenntnistheorie in der Religionswissenschaft" (1905).
102 Zuerst in „Religionsphilosophie" (1904) (vgl. GS IV, 9), dann: GS II, 492—499 und 754—768.   103 Vorträge II, 267.

fühl ... gern gefallen" lassen, mit dem Barth ihn in seiner Arbeit von 1910/1912 über „Glaube und Geschichte" behandelt und „die Vorstellung eines ,religiösen Apriori' eine contradictio in adjecto" nennt (dort S. 54 Anm. 1). Bereits 1909 hatte Troeltsch einem anderen Herrmann-Schüler, Paul Spieß, „auf eine Anfrage der Marburger Theologie hin"[104] die „wesentliche(n) und ernste(n) Schwierigkeiten" frei eingestanden, die mit seinem Standpunkt verbunden seien, daneben dann aber festgestellt: „Die anderen möglichen Standpunkte haben gleichfalls organische und, wie ich meine, noch größere Schwierigkeiten" (GS II, 759). In seiner Stellungnahme „Zur Frage des religiösen Apriori" erwiderte Troeltsch Paul Spieß: „Das allein ist mein Problem": „Es ist angesichts des wirklichen Laufes und Zusammenhanges der Dinge ganz unmöglich, dem Religiösen eine andere Verwirklichungsweise oder andere Erzeugungsform zuzugestehen als dem unendlich verschlungenen geistigen Leben überhaupt. Es ist vor allem ganz ausgeschlossen, am Christentum eine andere Kausalität des Geschehens aufzuweisen als am Nichtchristentum. Dieser Grundpfeiler der Selbstempfindung des bisherigen Christentums ist rein unter der Wirkung von Dokumenten und philologischen Zeugnissen zusammengebrochen, auch ohne Mitwirkung aller

---

104 K. Bornhausen, Das religiöse Apriori bei Ernst Troeltsch und Rudolf Otto, Zeitschr. für Philos. u. philos. Kritik 139, 1910, 194. – In der Zeitschrift für „Religion und Geisteskultur" hatte Paul Spieß 1908/1909, also in jener Zeit, als auch Barth in Marburg studierte, die Schwierigkeiten, die mit der Verwendung des Begriffs ,religiöses Apriori' verbunden sind, kritisch gegen Troeltschs Position gewendet. Diese Kritik wird von Karl Bornhausen, einem „Studienfreund Barths und Thurneysens" (Werke V/3, 7), 1910 in einer Replik, auf die in der gleichen Zeitschrift von Troeltsch gegebene Antwort (Zur Frage des religiösen Apriori: Erwiderung an Paul Spieß, in Religion und Geisteskultur, Zeitschrift für religiöse Vertiefung des modernen Geisteslebens, III = GS II, 754–768) als „Anfrage der Marburger Theologie" bezeichnet. Wenn Barth sich 1932 in KD I/1, 210 erinnert, es habe „der Begriff des religiösen Apriori ... in der Religionsphilosophie um 1910 eine ... große Rolle gespielt", hat er neben der allgemeinen Diskussion um diesen von Troeltsch eingeführten Begriff (Troeltschs Urheberschaft behauptet G. Ebeling, Wort und Glaube, 1962[2], 134, Anm. 134) vermutlich speziell diesen Gesprächszwang zwischen Marburg und Heidelberg vor Augen, in den er selbst mit seinem Vortrag von 1910 und dessen Veröffentlichung 1912 einzugreifen versucht hatte: „Innerhalb des psychologischen Gesamtbestandes des Bewußtseins ist der Glaube das geschichtliche Moment par excellence. Heterogen steht er an sich dem Gültigkeitsapparat der Logik, Ethik und Ästhetik gegenüber; denn es kreuzen sich hier (dies wird in der Verhandlung über das Apriori zu wenig beachtet), die auf völlig verschiedenen Flächen liegenden Probleme des Ich, des einzelnen Menschen, des individuellen Lebens und das des gesetzlichen Bewußtseins, der Menschenkultur, der Vernunft. Die Artverschiedenheit (die nicht durch die mancherorts plumpe Nebenordnung des sog. religiösen Apriori neben das logische, ethische und ästhetische verwischt werden darf) verwandelt sich aber in die innigste und wirksamste Gemeinschaft im Glaubens*vorgang*" (Gl. u. Gesch., 6).

Spekulation" (GS II, 754f). Die religiöse Subjektivität weiß sich diesen Sätzen Troeltschs zufolge als Subjektvitität in der Welt verloren, verloren an deren „Verwirklichungsweise" und „Erzeugungsform". Das, wodurch sie sich früher als Subjektivität zum Bewußtsein gekommen war, ist ihr „unter der Wirkung von Dokumenten und philologischen Zeugnissen zusammengebrochen". Bibel und Christentum sind ihr eingereiht in die allgemeine „Kausalität des Geschehens". An ihnen, durch die sie früher ihr Selbstbewußtsein gewann, kann sie nun nichts Besonders mehr finden. „Andererseits aber", fährt Troeltsch an der zitierten Stelle fort, „ist es für die Charakterbestimmtheit, die man unter dem Eindruck des eigenen religiösen Gefühls und unter dem Einfluß der christlichen Umwelt insbesondere erfährt, doch wieder unmöglich, dieses ganze Gebiet lediglich dem Psychologismus zu kausaler Ableitung aus allerhand Schiebungen der psychischen Entwicklung im Zusammenhang mit der Umwelt preiszugeben, um so mehr als man bei Anerkennung dieses Prinzips auch die ethische, ästhetische und wissenschaftliche Ideenwelt den Assoziationen, Schiebungen und Wandlungen elementarster psychischer Grundeigentümlichkeiten preisgeben müßte. Dagegen protestiert das religiöse Gefühl und die ganze Selbstanschauung der Vernunft mit all ihren idealen Werten, die ja in letzter Linie mit der Religion, d.h. mit der Gewißheit eines absolut vernünftigen Grundes der Dinge, stehen und fallen" (GS II, 755). Die religiöse Subjektivität, die die ihrer selbst bewußte Subjektivität ist, weiß, daß der Verlust ihres Selbstbewußtseins auch das Ende der Verwirklichung von Subjektivität in der Welt wäre, so daß dann nur noch „Assoziationen, Schiebungen und Wandlungen elementarster psychischer Grundeigentümlichkeiten" das Leben bestimmten. Aber, sie ist in der verzweifelten Lage, sich selbst bereits nur noch als Produkt „des eigenen religiösen Gefühls und ... der christlichen Umwelt insbesondere" identifizieren zu können, so daß sie sogar den Protest gegen ihren eigenen Verlust nur noch als Protest des „religiösen Gefühl(s)" und der „Selbstanschauung der Vernunft" vortragen kann, ohne doch noch mit dem „absolut vernünftigen Grund (...) der Dinge" selbst Protest einlegen zu können. Troeltsch, der anerkennt, daß sich die religiöse Subjektivität an und für sich unmittelbar durch nichts in der Welt mehr ihrer selbst bewußt werden kann, beschließt diesen Gedankengang mit der Feststellung: „So entsteht die Problemstellung, in dem religiösen Bewußtsein das historisch-psychologisch-kausal bedingte und das aus innerer Notwendigkeit schöpfende, produktive und gültige Wahrheit erzeugende Element gleichzeitig anzuerkennen, zu unterscheiden und zu verbinden, wie man ein gleiches auch bei den übrigen Vernunftfunktionen tun muß"(GS II, 755). Der Begriff, an dem von ihm diese Problemstellung dann entwickelt wird, ist der Begriff des religiösen Apriori.

Im folgenden soll nun Barths Bezugnahme auf Troeltsch von 1925 interpretiert werden, in der er sagt: in der „Trinitätslehre" ist „ein Apriori der sog. Religion ... sichtbar ... von dem Troeltsch allerdings nie auch nur geträumt hat, das aber auch nicht mit der gerechten Abschüttelung des Troeltsch'schen Apriori zu erledigen ist" (Vorträge II, 263f). Barths Gedanken zur Trinitätslehre von 1925 sollen dabei so zur Darstellung kommen, daß sie als Aufnahme und Fortführung der Frage Troeltschs verständlich werden, jener Frage, die er mit der Theorie vom religiösen Apriori und seiner Aktualisierung zu beantworten suchte: wodurch die religiöse Subjektivität, die sich ihrer selbst unmittelbar an und für sich durch nichts in der Welt mehr bewußt werden kann, doch ihrer selbst bewußt werden könne.

Barth erhält 1923 den Auftrag, eine Dogmatikvorlesung zu halten, die er nach einigem Streit mit der Göttinger Fakultät über ihre genaue Bezeichnung schließlich als „Unterricht in der christlichen Religion. Prolegomena" anzeigt und im Sommersemester 1924 hält[105]. Im Blick auf diese für ihn neue Form, Theologie zu formulieren, schreibt er an Thurneysen am 30.1.1924: „Heiner hat mir die Summa theologica des Thomas von Aquino zu Weihnachten geschenkt, fünf gewaltige Bände. Geht meine Reise eigentlich *dorthin,* oder werden wir plötzlich wieder rückwärts ausbrechen zur freien Prophetie, wie wir sie früher liebten?"[106] Der Briefwechsel mit Thurneysen aus jenem ersten Halbjahr 1924 dokumentiert, wie Barth sich in den klassischen und neueren dogmatischen Stoff vertieft (zB. Werke V/4, 236, 243) und in dem Bewußtsein, in der Theologiegeschichte „Drei Jahrhunderte Kitsch" hinter sich zu haben (dort S. 224) einen eigenen Versuch, Dogmatik zu formulieren, unternimmt. Dabei stößt er auf die Trinitätslehre. Am 20. April 1924 schreibt er an Thurneysen: „Überhaupt die Trinitätslehre! wenn ich da den rechten Schlüssel in die Hand bekäme, wäre einfach alles gut, aber immer wieder gerät man auf Kurzschlüssigkeiten, die sich dann irgendwo rächen" (Werke V/4, 245). Am 18. Mai 1924 heißt es dann in einem Rundbrief: „Ich mußte lange und schwermütig darüber nachdenken, immer wieder über den Runen brütend, die die Alten uns da hinterlassen haben: essentia, persona, notiones personales, opera

---

105 Zur Auseinandersetzung mit der Göttinger theologischen Fakultät vgl. Werke V/4, 213−215, 217, 221f.
106 Werke V/4, 217. In die gleiche Zeit fällt der Vorsatz, sich zu Herrmann zu äußern (aaO. 225).

ad intra — ad extra, περιχώρησις = Perichoresis, ‚opera ad extra sunt indivisa‘ (eine wohl zu bedenkende, aber alles sehr komplizierende Sache!), das filioque nicht zu vergessen. Ihr Männer, liebe Brüder, welch ein Gedränge! Meint nur ja nicht, das sei altes Gerümpel, alles, alles scheint, bei Licht besehen, seinen guten Sinn zu haben. Ich verstehe die Trinität als das Problem *der unaufhebbaren Subjektivität Gottes in seiner Offenbarung,* ... einmal letzthin erwachte ich mitten in der Nacht jählings, weil ich soeben sehr plastisch von dieser unerhörten Subjektivität in der Offenbarung geträumt hatte, die irgendwie wesenhaft (also doch leider objektiv) auf mich zukam, wobei der Wind plötzlich die Zimmertür aufriß und das Fenster zuwarf (in Wirklichkeit), so daß Spektakel und dogmatische Vision wunderlich ineinandergingen. Es war ja höchste Zeit, daß wir uns endlich auch diesen Dingen zuwendeten und so den Kontakt mit der alten Kirche wenigstens wieder zu suchen beginnen. Obs wohl stimmt?“ (Werke V/4, 253f). Diese Selbstzeugnisse Barths können einmal historisch-psychologisch plausibel machen, warum Barth 1925, ein Jahr nach seiner Entdeckung des Begriffs der unaufhebbaren Subjektivität Gottes in seiner Offenbarung, in seinem Vortrag über die dogmatische Prinzipienlehre Wilhelm Herrmanns sagen kann: „... wenn man einmal gedacht hat an die unaufhebbare Subjektivität Gottes ... dann *hat* man daran gedacht und *muß* daran denken und kann *diesen* Gedanken nicht mehr in Klammer setzen als bloßen ‚Glaubensgedanken‘. Sondern umgekehrt: der Löwe zerbricht seinen Käfig, ... ein Apriori der sog. Religion wird sichtbar *oberhalb* alles Erlebten und Erlebbaren, *oberhalb* aller Zirkel und Korrelationen, ein Apriori, von dem Troeltsch allerdings nie auch nur geträumt hat, das aber auch nicht mit der gerechten Abschüttelung des Troeltsch’schen Apriori zu erledigen ist“ (Vorträge II, 264). Andererseits wird deutlich, daß der Gedanke der „unaufhebbaren Subjektivität Gottes in seiner Offenbarung“ von Barth selbst in jener Weise gebildet wird, in der Troeltsch die Wahrnehmung der Freiheit der religiösen Subjektivität generell beschreibt: Durch Aneignung und Weiterbildung von Glaubensgedanken, hier der altkirchlichen Trinitätslehre. Von hier aus wird es dann möglich nachzufragen, welchen konstruktiven Sinn der Gedanke der unaufhebbaren Subjektivität Gottes in seiner Offenbarung als Glaubensgedanke Barths für die Bestimmung der religiösen Subjektivität hat, ohne dem Anspruch zu erliegen, dieser Gedanke sei kein Glaubensgedanke.

Barth profiliert den Gedanken der Trinität als den Gedanken der unaufhebbaren Subjektivität Gottes in seiner Offenbarung, der „exklusiv sich selbst setzt, exklusiv durch sich selbst erkennbar ist im actus purissimus seines dreifaltigen Personseins", in seinem Vortrag von 1925 als Aufhebung der Herrmannschen „Lehre vom ‚Weg zur Religion'" (Vorträge II, 264), als Kritik und bessere Durchführung, darin aber auch zugleich als Kritik und bessere Durchführung des von ihm selbst 1912 aufgewiesenen Weges, auf dem die religiöse Subjektivität zum Bewußtsein ihrer selbst gelangen könne. 1925 schreibt Barth: „Man bedenke noch einmal den entscheidenden Punkt in Herrmanns Beweisführung, jene Lehre von der notwendigen kritischen Frage nach dem eigenen Selbst des Menschen." In Barths eigenen Ausführungen von 1912 ergab sich die Notwendigkeit dieser Frage daraus, daß der Mensch in seinem „Kulturbewußtsein in Logik, Ethik und Ästhetik" kein unmittelbares Selbstbewußtsein gewinnt, was er aber gewinnen muß, um sich in der Welt als Subjektivität wissen zu können. „Damit diese Frage allererst *möglich* sei, müßte es ein *Maß*, ein *unbedingte* Gültigkeit für *jeden* Menschen besitzendes *Urbild* des menschlichen Selbst, ein wirkliches *principium* individuationis geben. Sodann: damit diese Frage *notwendig* sei, müßte der Mensch um dieses Urbild und seine Autorität *wissen*, er müßte von dorther in Frage gestellt sein. Endlich: damit das *geschähe*, damit der Mensch sich diese Frage nun wirklich stelle (und darauf käme ja für Herrmanns Beweis alles an), müßte zwischen ihm und jenem Urbild eine Erkenntnisrelation bestehen, die alle Weigerung, jene Frage zu stellen, ausschlösse, die nur als die dem Menschen sich mitteilende *Selbst*erkenntnis jenes Urbildes begreiflich zu machen wäre" (Vorträge II, 266). In Beziehung auf die Problemerfassung durch ihn und Herrmann von 1912 lassen sich diese Ausführungen dann aber so interpretieren, daß Barth in ihnen der religiösen Subjektivität zu Bewußtsein bringt, daß sie sich nur dadurch als sie selbst wissen kann, daß sie das sich Wissen der Subjektivität als deren allgemeine Bestimmtheit voraussetzt, weswegen sie als religiöse Subjektivität, dh. als besondere sich wissende Subjektivität aufhören muß zu existieren. Indem Barth in dem Gedanken der unaufhebbaren Subjektivität Gottes in seiner Offenbarung „die *Offenbarung*, zu der jene Frage (s.c. des Menschen nach sich selbst) nach Herrmann erst hinführen soll, schon als ihre *Voraussetzung*" bestimmt, ist für ihn dann aber auch die Frage Troeltschs gleich miterledigt, wodurch sich die religiöse Subjektivität, die sich unmittelbar an und für sich durch nichts in der Welt ihrer selbst bewußt werden kann, doch mittelbar ihrer selbst bewußt werden könne.

Schon in seiner zweiten Auslegung des Römerbriefes hatte Barth zu Röm 10,12f geschrieben: „Gäbe es ein Bewußtsein des den Menschen bedrängenden Todesverhängnisses ohne das (unbegreifliche!) Bewußtsein der (unmöglichen!) Auferstehungsmöglichkeit? Gäbe es die Universalität der Not, wäre sie als solche erkennbar und benennbar ohne die Universalität des Heils, dessen Abschattung sie ist? ... Das ist der Sinn der Lage zwischen Gott und Mensch, wie sie in *Jesus* offenbar geworden ist, der ‚*der Herr*' dieser Lage ist kraft seiner Auferstehung, der es offenbar macht *in* der Not unseres Dasein, *in* unserem Seufzen, Fragen, Suchen und Schreien, daß der Reichtum göttlicher Errettung und Genesung die verborgene Wurzel dieser Not und dieses Seufzens ist" (Röm^2, 367). Darauf Bezug nehmend, wenn auch ohne Nennung Troeltschs, fuhr er dann fort: „Denn es ist die oben (10, 12f) aufgedeckte universale Voraussetzung nicht etwa zu verwechseln mit dem *rationalen* Universalismus, mit der *rationalen* (in Wirklichkeit den Geist des echten Rationalismus betrübenden!) Voraussetzung eines ‚religiösen Apriori', einer hinter oder vor allen sog. positiven Religionen liegenden allgemeinen Vernunftreligion. Sagen wir: „*Jeder*, der den Namen des Herrn anruft, wird gerettet werden! (10,13), so handelt es sich bei diesem ‚Jeder' um den Universalismus der *Gnade*, um die Voraussetzung der *Offenbarung*. *Dieser* Universalismus und *diese* Voraussetzung bedeutet — gerade im Gegensatz zu allem religiösen Apriorismus — die *De*struktion (nicht die Konstituierung!) aller menschlichen Religion, die Proklamierung völliger Voraussetzungs*losigkeit* im entscheidenden Punkt. Gott ist *Frei*" (Röm^2, 370 zu Röm 10,16). Wie die „Proklamierung völliger Voraussetzungs*losigkeit* im entscheidenden Punkt" zu denken sei, durch die der Mensch das Bewußtsein seiner Voraussetzungslosigkeit im entscheidenden Punkt als das Bewußtsein der Gegebenheit seiner Subjektivität haben kann, das erschließt sich Barth 1924 in der Trinitätslehre als dem Gedanken der unaufhebbaren Subjektivität Gottes in seiner Offenbarung. Mit ihm legt er mit dem „absolut vernünftigen Grund (...) der Dinge" selbst Protest ein gegen den Verlust der ihrer selbst bewußten Subjektivität (GS II, 755).

C. DAS PROBLEM DER ETHIK IM ÜBERGANG VON TROELTSCH ZU BARTH

I. Das Verhältnis von Ethik und Dogmatik

Troeltschs Arbeit über „Grundprobleme der Ethik" erschien 1902 „aus Anlaß der Herrmannschen Ethik"[107], die ein Jahr zuvor in erster Auflage veröffentlicht worden war[108]. Daß Barth als Schüler Herrmanns nicht nur Herrmanns Ethik, sondern auch Troeltschs Stellungnahme dazu zur Kenntnis nahm, ist für das Jahr 1925 belegt[109]. Damals legte Barth aus Anlaß der gerade veröffentlichten Dogmatikdiktate Herrmanns „sich selbst und anderen Rechenschaft" darüber ab, wie er denn nun, nach siebzehn Jahren zu *dem* „theologische(n) Lehrer seiner Studentenzeit" stehe[110]. In der Einleitung seines Vortrags über „Die dogmatische Prinzipienlehre bei Wilhelm Herrmann" schreibt Barth über sein Schülerverhältnis zu Herrmann: „Mir stellt es sich so dar, daß ich mir von Herrmann etwas Grundlegendes habe sagen lassen, das, in seine Konsequenzen verfolgt, mich nachher nötigte, so ziemlich alles Übrige ganz anders zu sagen und schließlich sogar jenes Grundlegende selbst ganz anders zu deuten als er."[111] Das „Grundlegende", das Barth 1925 von Herrmann gelernt zu haben bekennt und das er letztlich dann doch ganz anders deuten zu müssen glaubt, läßt sich in den Gedanken fassen, daß im Blick auf das Religionsproblem „die Antwort ... auch der Ethik gegenüber auf eigenen Füßen" stehe[112]. Troeltsch hatte in seiner Auseinandersetzung mit Herrmann 1902 die Meinung vertreten, „daß erst vom Boden der prinzipiellen Ethik aus das Religionsproblem angegriffen werden könne", und hatte von dort aus über Herrmanns Ethik geurteilt, daß „auch Herrmann prinzipiell diesen Standpunkt" vertrete[113]. Genau an diesem Punkt setzt Barth seine Kritik an Troeltschs Urteil über Herrmann an und sucht es mit dem,

---

107 GS II, 552–672.
108 W. Herrmann, Ethik, 1901[1], 1921[6].
109 Barth zitiert in Vorträge II, 243, 271 von Troeltsch, GS II, 570.
110 Vorträge II, 240.
111 AaO. 241.
112 AaO. 247.
113 GS II, 570.

was er selbst von Herrmann als grundlegend übernommen hat, zu relativieren. Er tut es vorsichtig und läßt zunächst noch Troeltschs Urteil über Herrmann neben dem von ihm selbst verfolgten Gesichtspunkt bestehen. „Mag es immer sein", schreibt er über Herrmann, „daß er das Religionsproblem tatsächlich von der Ethik aufgeworfen und im Rahmen der ethischen Fragestellung beantwortet hat, so daß *Troeltsch* sich darin in Übereinstimmung mit ihm fühlen zu können meinte — die Antwort selbst stand doch bei Herrmann auch der Ethik gegenüber auf eigenen Füßen"[114]. Der Fortgang des Gedankens bei Barth zeigt indes, daß er sich mit diesem Nebeneinander seines eigenen Gesichtspunktes und des Urteils von Troeltsch zu Herrmann letztlich nicht begnügen kann, wenn anders er die Selbständigkeit der Antwort auf das Religionsproblem auch gegenüber der Ethik wirklich als das Grundlegende bei Herrmann behaupten will. Barth sieht sich vielmehr genötigt, in einem zweiten Hauptsatz und nun mit prinzipiellem Anspruch, die selbständige Beantwortung des Religionsproblems durch die „Wissenschaft von der Entstehung des christlichen Glaubens" als den eigentlich allein möglichen Sinn von Herrmanns gesamtem Schaffen zu bestimmen. Dabei wird nun die dogmatische Prinzipienlehre, in der „der Weg zur Religion" als Antwort auf das Religionsproblem in selbständiger Weise entfaltet wird, der Ethik sogar vorgeordnet. Die vorsichtig unterstellende Form, in der Barth diese Umbesetzung der Priorität von Ethik und Dogmatik vornimmt, zeigt, daß er weiß, daß mit dieser Auslegung die Herrmannsche Theologie auf einen Nenner gebracht wird, der ihr selbst fehlt. Aus größerem Abstand wird Barth selbst schreiben: „Die Überordnung der Ethik über die Dogmatik, sie bildet geradezu den Nerv der Theologie A. Ritschls und noch am Anfang unseres Jahrhunderts den Punkt sicherster Übereinstimmung zwischen den beiden Antipoden unter Ritschls Erben: W. Herrmann und E. Troeltsch"[115]. 1925 jedoch, unter dem Druck, sein Bekenntnis zu Herrmann im Nachweis der Kontinuität seines theologischen Denkens zu bewähren, heißt es über Herrmann: „Prinzipiell kann nur eine *Nebenordnung* von Dogmatik II und Ethik bei gemeinsamer *Unterordnung* unter die eigentliche theologische Grundwissenschaft, die Wissenschaft von der Entstehung des christlichen Glaubens, dem ‚Weg zur Religion', dh. aber unter die dogmatische Prinzipienlehre der Sinn seines Tuns gewesen sein"[116]. Damit hat Barth in seiner Herrmanndeutung nicht nur

---

114 Barth, Vorträge II, 243. Zu Troeltsch verweist Barth auf GS II, 570.
115 KD I/2, 879, erschienen 1933.
116 Vorträge II, 243.

die Ethik als den allgemeinsten Horizont des Religionsproblems ausgeschieden, sondern die Ethik selbst der dogmatischen Prinzipienlehre untergeordnet. Danach kann es nur als konsequent erscheinen, daß Barth nun auch das Entscheidende, das er von Herrmann gelernt zu haben bekennt: die Selbständigkeit der Antwort auf das Religionsproblem auch gegenüber der Ethik, in einer ganz anderen Weise deuten muß, als Herrmann es tat. War bei Herrmann die Antwort auf das Religionsproblem, auch wenn sie „auf eigenen Füßen" stand, qua Antwort doch noch auf den Horizont der Ethik bezogen, so ist Barth genötigt, die Selbständigkeit der Antwort auf das Religionsproblem ohne diesen Bezug, rein innerdogmatisch zu denken. Barth tut dies in seinem Vortrag, indem er nicht wie Herrmann die individuell gestellte Wahrheitsfrage des Menschen, sondern, in verwegenem Anschluß an einen Absatz aus Herrmanns Dogmatikdiktaten[117] die Anerkenntnis des Geheimnisses Gottes als den „*Anfang* und das *Ende* des ‚Weges zur Religion'" bezeichnet[118], um dann seinerseits die trinitarisch explizierte „unaufhebbare Subjektivität Gottes" als denjenigen Ort zu bestimmen, an dem allein „die Wahrheit der Lehre vom ‚Weg zur Religion'" dargetan werden kann[119]. Die Umkehrung des Verhältnisses von Ethik und Dogmatik ist von Barth 1925 danach spätestens vollzogen. Sie erfolgt, wie die obige Betrachtung zeigt, als Abkehr von einer Theologie, die von Troeltsch und — wenn auch mit Einschränkungen im Urteil Barths — von Herrmann repräsentiert worden war. Soll der Übergang von Troeltsch zu Barth am Thema der Ethik daher dargestellt werden, so wird sie diese Umkehrung des Verhältnisses von Ethik und Dogmatik zum Inhalt haben müssen, indem sie sie als Resultat der Denkbewegung Barths in den Jahren vor 1925 durchsichtig macht. Der folgende Versuch unternimmt dies durch eine Analyse der unterschiedlichen Bezugnahmen Barths auf Troeltsch aus den Jahren 1918, 1919 und 1922.

---

117 AaO. 260f.

118 AaO. 262.

119 AaO. 264. – Vgl.: Thurneysen an Barth am 9. April 1925: „Du bist an Herrmann — ... Er hat doch sicher etwas gewußt vom „ganz Anderen", und dann dieses sein Wissen eben doch wieder irgendwie als Weg dort hinüber auszugeben nicht umhin gekonnt, somit Offenbarung und religiös-sittliches Treiben seltsam verschmelzend?? — Ich bin aber froh darum, daß du dich zu ihm äußerst" (Werke V/4, 324f). Dort auch zustimmend zu Barths „Menschenwort und Gotteswort in der christlichen Predigt" (ZZ 3, 1925, 2): ‚„kein, *auch* kein ethisches *intelligere*, kann dem *credo* vorangehen' — was Holl und Hirsch und wohl auch Herrmanns ‚Ethik' betrifft!"

II. Rückgriffe auf Troeltschs „Soziallehren der christlichen Kirchen und Gruppen" bei Barth, Bultmann und Thurneysen

1. Barths Zitation von Troeltschs „Soziallehren" (1918/1919)

Die Beziehung Barths zu Troeltsch im Zusammenhang des Problems der Ethik wird greifbar in Barths Zitation von Troeltschs Werk: „Die Soziallehren der christlichen Kirchen und Gruppen", das 1912 erschien. Die Einleitung, sowie die Kapitel I—III, 2 dieses Buches waren vorab in den Bänden 26—30 des Archivs für Sozialwissenschaft und Sozialpolitik abgedruckt worden. Troeltsch selbst ordnet dieses Werk, das als erster Band seiner Gesammelten Schriften erschien, folgendermaßen in den Zusammenhang seines eigenen Denkens ein: Meine Untersuchungen „sind äußerlich veranlaßt durch den Auftrag, für das Archiv das Buch von Nathusius ‚Die Mitarbeit der Kirche an der Lösung der sozialen Frage' anzuzeigen. Ich fand dabei, daß alle Voraussetzungen für die Lösung einer solchen Aufgabe in der Literatur fehlten, und machte mich daran, die Grundlagen mir selbst zu verschaffen. Daraus ist dieses Buch entstanden. In diese Arbeit mündeten aber dann alle Interessen meiner Forschung ein: soziologisch-phänomenologische über Begriff und Wesen der Kirche, die sich mir aus Rothes bekannter Lehre ergaben (s. ‚Religion und Kirche', Preuß. Jahrb. 1895), die Geschichte der christlichen Ethik betreffende (s. ‚Grundprobleme der christlichen Ethik' Z.f.Th.u.K. 1902) und vor allem Untersuchungen über die Bedeutung der Lex naturae (sie ziehen sich seit meinem „Melanchthon und Gerhard' durch eine ganze Reihe von Arbeiten hindurch). Schließlich ist das Buch die Ausführung des Programms geworden, das ich 1901 in meiner Anzeige von Seebergs ‚Lehrbuch der Dogmengeschichte' (Gött.Gel.Anzz. 1902 S. 21—30) entworfen habe"[120]. Zeigt diese Einordnung der „Soziallehren" durch Troeltsch selbst, daß in ihnen Troeltschs unterschiedliche Forschungsinteressen zu einem zusammenfassenden Ausdruck gelangen, so ist die Theologie Barths, in deren Rahmen Barth in den Jahren 1918, 1919 und 1922 auf Troeltsch und seine „Soziallehren" Bezug nimmt, noch durchaus im Aufbau begriffen. Die völlige Neubearbeitung des Römerbriefkommentars kann dafür als deutlichstes Indiz gelten. Barths Arbeiten am ersten Römerbriefkommentar, in dem Troeltschs „Soziallehren" zitiert sind, sind Ende 1918 abgeschlossen (zur genauen Datierung s.u. 66). Der Römerbrief er-

---

120 GS I, 950, Anm. 510.

scheint 1919. Ende 1920 entscheidet sich Barth für eine völlige Neubearbeitung seines Kommentars, die 1922 erscheint (s. Brief vom 27.10.1920 an Thurneysen, Werke V/3, 435)[121].

In seinem ersten Römerbriefkommentar zitiert Barth Troeltschs „Soziallehren" im Rahmen seiner Auslegung von Röm 13 (dort S. 378). Er greift erneut auf Troeltschs „Soziallehren" zurück in seinem 1919 gehaltenen Vortrag mit dem Thema: „Der Christ in der Gesellschaft" (Vorträge I, 66)[122]. Ein drittes Mal verweist Barth auf Troeltsch 1922, in seinem Vortrag: „Das Problem der Ethik in der Gegenwart" (Vorträge I, 131, 133)[123]. Dort steht jedoch nur noch Troeltschs Name für seine Position ein, ohne daß Barth Troeltschs Schriften zitierte.

2. Troeltschs „Soziallehren"
   im Briefwechsel zwischen Bultmann und Barth (1924)

Um die Rolle, die die „Soziallehren" von Troeltsch in den Anfängen der dialektischen Theologie gespielt haben, allgemeiner zu beleuchten, sei noch auf das Jahr 1924 verwiesen, in dem Rudolf Bultmann in einem privaten Brief an Karl Barth auf Troeltschs „Soziallehren" Bezug nimmt: Siegmund-Schultze, seit 1917 Leiter des Berliner Jugendamtes, hatte nach einem Vortrag in Marburg erleben müssen, daß sich dort einige Diskussionsteilnehmer unter Berufung auf Barth „gegen jede soziale Arbeit" erklärten. Er selbst hatte dem gegenüber die Meinung vertreten, daß sich „ein gewisser Quietismus nur mißverständlicherweise" auf Barth berufen könne. Zur eigenen Vergewisserung sucht er am 5.1.24 in einem Brief an Barth eine Klärung dieser Frage[124]. Dieser fragt jedoch zunächst bei Bultmann nach, „was sich da wohl in Marburg abgespielt" habe[125]. Am 9.1. antwortet Bultmann in einer ausführlichen Stellungnahme. Er beschreibt, wie er selbst in der Diskussion nach dem Vortrag von Siegmund-Schultze versucht habe, den „Quietismus" als „Mißverständnis", die soziale Arbeit der Kirche aber in ihrer „Problema-

---

121 Über die Entwicklung von Barths Theologie in diesen Jahren s. Barth: Werke V/1, 307–309, vgl. Kirsch, Zum Problem der Ethik in der kritischen Theologie Karl Barths, 179f und Steck/Schellong, 69.
122 Zum historischen Hintergrund des Vortrags vom 25.9.1919 in Tambach s. Werke V/3, 342–347 und G. Dehn, Die alte Zeit – die vorigen Jahre, 1962, 222.
123 Barth trug diesen Vortrag in Wiesbaden und Lüneburg vor im September 1922. Werke V/4, 100ff, Briefe vom 20.9. und 7.10.1922.
124 Der Brief ist abgedruckt in: Barth, Werke V/1, 209f. Obige Zitate aus diesem Brief.
125 Brief vom 8.1.24, aaO. 22.

tik" erscheinen zu lassen. Fazit seines Diskussionsbeitrages sei gewesen: Die „soziale Arbeit als solche sei nicht das Amt der Kirche". Über Siegmund-Schultze schreibt er, dieser habe „offenbar diese Problematik nicht erfaßt", um sich dann auch über einen Diskussionsbeitrag von Rade zu äußern: „Rade sprach, als habe er nie Troeltschs Soziallehren gelesen und als ahne er nichts von der Problematik."[126]

Bemerkenswert ist diese Bemerkung Bultmanns zu Rades Diskussionsbeitrag, weil er ihn Barth gegenüber dadurch disqualifizieren kann, daß er sagt, Rade sprach, „als habe er nie Troeltschs Soziallehren gelesen". Das Problembewußtsein, das er bei Siegmund-Schultze und Rade nicht fand, in dem er sich aber mit Barth verbunden wußte, ist demnach 1924 für Bultmann in Troeltschs „Soziallehren" identifizierbar. Daß es das sei, meint Bultmann in Übereinstimmung mit Barth sagen zu können. In seinem Vortrag über „Die liberale Theologie und die jüngste theologische Bewegung"[127] knapp einen Monat später, am 6. Februar 1924, zu dem Barth mit zwölf Studenten aus Göttingen anreiste[128], geht Bultmann in der Aufnahme der „Soziallehren" Troeltschs noch einen Schritt weiter, sofern er dort feststellt, „Barth und Gogarten" zögen in ihrer Behandlung des ethischen Problems „die Konsequenzen aus den Erkenntnissen der liberalen Theologie". „Denn", und das Folgende dient Bultmann als Beleg dieser These, „wer hat nachdrücklicher als Herrmann betont: es gibt keine spezifische christliche Ethik? Und wer hat nachdrücklicher als Troeltsch die Problematik aufgezeigt, die im Verhältnis des Christen zur Welt gegeben ist?" Troeltsch, das zeigt die Fußnote im Abdruck des Vortrags, ist dabei als Verfasser der „Soziallehren" gemeint (Gl. u. Verst. I, 18). Troeltsch hatte als „Ergebnis" seiner Untersuchung „die Einsicht in die problematische Lage aller christlich-sozialen Arbeit" herausgestellt (GS I, 985)[129].

---

126 Brief vom 9.1.1924, aaO. 24—27. — Bultmanns Bemerkung sagt nicht, daß Rade Troeltschs Soziallehren nicht gelesen hat. 1915 hatte Rade bei einem Besuch in der Schweiz Barth gegenüber geäußert, der religiös-sozialistische Glaube könne „doch nie Erfolg haben in der Welt" und dann, wohl mit Bezug auf die kritische Einschätzung der religiös-sozialen Verwirklichungsmöglichkeiten durch Troeltsch in dessen „Soziallehren" (GS I, 845f; 846, Anm. 464, 961, 983) hinzugefügt: „Ihr steht ja längst alle abgemalt im Troeltsch!" (Barth, Werke V/3, 25).

127 Theologische Blätter 3, 1924 = Glauben und Verstehen I, 1933, 1—25.

128 Werke V/4, 231, s. auch V/1, 24.

129 Bultmann selbst zitiert Troeltsch ebenso wie Barth nur sporadisch. Darin kann eine gewisse Arbeitsteilung gesehen werden, sofern Bultmann in der Frankfurter Zeitung vom 27.9.1926 schreibt: „Die grundsätzliche Auseinandersetzung ... wird vor allem von Gogarten geführt, der als Schüler Troeltschs dessen eigentliches Erbe übernom-

Diese funktionalisierende Aufnahme von Troeltschs „Soziallehren" durch Bultmann 1924 setzt nun aber schon eine gewisse Konsolidierung der „jüngsten theologischen Bewegung" voraus, die in solchem Rückbezug auf ihre Lehrer das Bewußtsein ihrer Eigenständigkeit artikuliert. Von Barths Reaktion auf diese Aufnahme der „Soziallehren" durch Bultmann ist im übrigen nichts überliefert, außer daß Barth sich zu Bultmanns Vortrag allgemein befriedigt äußerte.[130]

3. Äußerungen zu Troeltsch im Briefwechsel Barth — Thurneysen bis zur Abfassung des ersten Römerbriefkommentars

In der frühen Arbeitsgemeinschaft zwischen Barth und Thurneysen ist es besonders Thurneysen, der, wie Barth in seinem Briefwechsel mit Thurneysen schreibt, ein „Verhältnis zu Troeltsch" hat[131]. Ironisch spricht Barth sogar von Thurneysens „Freund Troeltsch". Tatsächlich gewinnt Thurneysen in seinen Bemerkungen über Troeltsch im Briefwechsel mit Barth Troeltschs Gedanken mehr ab als Barth.

---

men hat." Bultmann selbst zitiert Troeltsch wie folgt: *Troeltsch: „Die Bedeutung der Geschichtlichkeit Jesu für den Glauben" (1911) bei Bultmann:* „Die liberale Theologie und die jüngste theologische Bewegung" (Theol. Blätter 3, 1924 = Glauben u. Verstehen I, 1—25, dort 3f) und „Die Christologie des Neuen Testaments" (aaO. 245—265, dort S. 254, Anm. 1). — *Troeltsch: „Die Soziallehren der christlichen Kirchen und Gruppen" (1912) bei Bultmann:* Besprechung der dritten Auflage von Harnacks Dogmengeschichte (Chr. Welt 1916, 526) und „Ethische und mystische Relig." (Chr. Welt, 1920 = Anfänge II, 29—47, dort 34f) und „Religion und Sozialismus" (Sozialistische Monatshefte 28, 1922, Bd. 58, 442—447, dort S. 446) und „Die liberale Theologie und die jüngste theologische Bewegung" (Theol. Blätter 2, 1924 = Glauben u. Verstehen I, 1—25, dort 18) und „Urchristliche Religion" (Bericht über die Literatur 1919—1925 in: Archiv für Religionswissenschaft 24, 1926, 83—164, dort S. 91f, 93, 96f, 100) und „Die evangelisch-theologische Wissenschaft in der Gegenwart" (in: Abendblatt der Frankfurter Zeitung vom 27. Sept. und 11. Okt. 1926) und „Urchristentum und Staat" (Mitteilungen des Universitätsbundes Marburg Nr. 19, 1—4) und „Urgemeinde" (RGG[2] V, Sp. 1414 [1931]). *Troeltsch: „Das Ethos der hebräischen Propheten" (1916) bei Bultmann:* „Die Bedeutung der Eschatologie für die Religion des Neuen Testaments" (ZThK, 27, 1917, 80). *Troeltsch: „Zum Gedenktag an Dostojewski" (1921) bei Bultmann:* „Das christliche Gebot der Nächstenliebe" (Glauben u. Verstehen I, 239, Anm. 2). — *Troeltsch: „Der Historismus und seine Probleme" (1922) bei Bultmann:* „Die evangelisch-theologische Wissenschaft in der Gegenwart" (in: Abendblatt der Frankfurter Zeitung vom 27. Sept. u. 11. Okt. 1926).

130 Barths Antwort auf Bultmanns Brief vom 9.1.24 erfolgte möglicherweise mündlich, bei seinem Besuch in Marburg am 5.2., da kein Brief aus der Zwischenzeit vorliegt. Zu Bultmanns Vortrag, den Barth als „Götterdämmerung" apostrophiert, äußert er sich in einem Brief an Bultmann vom 15.4.1924 (Werke V/1, 27) und einem ‚Rundbrief' vom 4.3.1924 (Werke V/4, 231), ohne jedoch genauer auf ihn einzugehen.

131 Werke V/3, 40, Brief vom 5.5.1915.

Er weist Barth auf „einige gute Bemerkungen" Troeltschs zum Sektenproblem in den „Soziallehren" hin[132]. Er hebt Troeltschs Beitrag zur Kriegsweihnacht 1914 in der Zeitschrift „Die Hilfe" von dem Beitrag Naumanns positiv ab: „... ungleichviel ehrlicher und tiefer ist Troeltsch"[133]. 1915 wendet sich Thurneysen gegen die Art, wie Ragaz in der Zeitschrift „Neue Wege" Troeltsch der „Kriegstheologie" beschuldigt: „Mir hat vor allem die Art der Polemik gegen Troeltsch wenig eingeleuchtet. Sachlich ist sie ja richtig, aber diese Zwischenrufsmanier hat etwas Kleinliches."[134] Durch Thurneysen war Barth in den Besitz von Troeltschs „Soziallehren" gelangt. Thurneysen hatte sie ihm 1913 zur Hochzeit geschenkt[135]. Auch der Band IV von Troeltschs Gesammelten Schriften wurde Barth später vermutlich durch Thurneysen vermittelt[136]. Barth seinerseits anerkennt Thurneysens besseres Verhältnis zu Troeltsch, wenn er gerade ihn 1916 auffordert, im „Kränzchen ... über Troeltschs ‚Soziallehren' (...) zu referieren"[137], und ihn nach einem halben Jahr anmahnt: Du bist uns „immer noch die Auseinandersetzung mit deinem Freund Troeltsch schuldig"[138]. So ist in der frühen Arbeitsgemeinschaft Barth—Thurneysen im Urteil Barths Thurneysen der für die Auseinandersetzung mit Troeltsch zuständige Mann. Er gilt als der bessere Troeltschkenner. Die Position, die sowohl Thurneysen wie Barth gegenüber Troeltsch beziehen, ist bei beiden jedoch nicht mehr wie bei Barth in seiner Arbeit „Der Christliche Glaube und die Geschichte" von 1912 primär durch das Schülerverhältnis zu Wilhelm Herrmann bestimmt, sondern durch die Zugehörigkeit zu den Schweizer religiösen Sozialisten. Deren Position hatte Barth bereits 1914 in einer Kritik der von Naumann herausge-

---

132 AaO. 37, Brief vom 23.3.1915.

133 AaO. 23, Brief vom 28.12.1914. Bezug: F. Naumann, Weihnachten 1914, Die Hilfe 20, 1914, 848f; E. Troeltsch, Friede auf Erden, aaO. 833f.

134 Werke V/3, 75. Bezug: Neue Wege 9, 1915, 363f. — Thurneysen war nach einer Bemerkung Barths (Werke V/3, 15) „amanuensis Wernles", der gleich nach dem Erscheinen von Troeltschs „Soziallehren" 1912 in der ZThK eine über 100 Seiten lange Besprechung dieses Werkes veröffentlicht hatte. Thurneysen fertigte 1908/1911 das Register für Wernles „Einführung in das theologische Studium" an (vgl. Barth Werke V/3, 204, Anm. 2), so daß Thurneysens Verhältnis zu Troeltsch möglicherweise durch seine Beziehung zu Wernle vermittelt war, der, wie seine ausgedehnte Besprechung von Troeltschs „Soziallehren" zeigt, Troeltsch für beachtlich hielt (Brief vom 27.8. 1915, aaO. 75).

135 Barths Dankschreiben vom 4. Mai 1913, aaO. 3.

136 Am 15.2.1925 schreibt Barth an Thurneysen in einem Rundbrief: „Troeltsch IV sei mir auch willkommen!" in: Werke V/4, 308 = W. Feuerich, Klärung und Wirkung, 1966, 224.

137 Brief vom 1.1.1916, Werke V/3, 122.

138 Brief vom 26.6.1916, aaO. 144.

gebenen und von Troeltsch mit finanziellen und literarischen Beiträgen geförderten Zeitschrift „Die Hilfe" vertreten[139]. Im Mai 1916 lassen sich Barth und Thurneysen in den Vorstand der schweizerischen religiös-sozialen Konferenz wählen, so daß hier ein Konsens mit Thurneysen auf der Basis des schweizerischen religiösen Sozialismus gegenüber Naumann und Troeltsch hervortritt[140]. Thurneysens Notiz von 1915, Ragaz habe mit seinem Vorwurf, Troeltsch treibe „Kriegstheologie", sachlich Recht, bestätigt diese Konstellation. Sie verschiebt sich jedoch nochmals bis zur ersten Kommentierung von Röm 13 durch Barth um 1918, in der Barth Troeltschs „Soziallehren" zitiert. Oktober 1917 legten Barth und Thurneysen wegen „interner Spannungen" ihre Vorstandsposten nieder (Werke V/3, 139). „Sozialdemokratisch, aber *nicht* religiös-sozial!" gibt Barth in Auslegung von Röm 13 um 1918 als Parole aus (Röm1, 390) und profiliert damit die Eigenständigkeit seiner Position auch gegenüber den religiösen Sozialisten, besonders gegenüber Ragaz, von dem er später an Thurneysen schreibt, daß er „ihn Römer 13 ... nicht zu Unrecht abgesägt" habe[141]. Sofern der erste Römerbriefkommentar Barths ein Dokument seines selbständig werdenden Denkens darstellt, markiert er auch eine neue Phase seiner Stellung zu Troeltsch. Von Seiten Thurneysens kommt es zu der von Barth 1916 gewünschten großen Auseinandersetzung mit Troeltsch nicht.

---

139 Troeltsch unterstützte die Zeitschrift „Die Hilfe", Wochenschrift für Politik, Literatur und Kunst, finanziell nach: „Die bürgerlichen Parteien in Deutschland", hg. von D. Fricke u.a., I, 1968, 127. Troeltschs Beiträge in „Die Hilfe" nennt die Bibliographie seiner Veröffentlichungen in GS IV, Barths Kritik s. Chr. Welt 28, 1914, Sp. 774–778f.

140 Troeltsch hatte sich auf dem „Evangelisch-Sozialen-Kongreß" sozialpolitisch auf die Seite Naumanns gestellt (vgl. G. Schmidt, Deutscher Historismus und der Übergang zur parlamentarischen Demokratie, 1964, 162). Während Barth bald nach dem Tode Naumanns am 24.8.1919 in der Zeitung „Neuer Freier Aargauer" Naumann entschlossen der Vergangenheit überantwortet (Vergangenheit und Zukunft: Friedrich Naumann und Christoph Blumhardt, jetzt in: Anfänge I, 37–49), spricht Troeltsch in Berlin – nach Heuss – zu dessen Gedenken (Th. Heuss, Friedrich Naumann. Der Mann, das Werk, die Zeit, 1949[2], 577).

141 Werke V/3, 387, Brief vom 3. Mai 1920 mit Bezug auf den ersten Römerbriefkommentar!

III. Barths Zitation von Troeltschs ,,Soziallehren der christlichen
Kirchen und Gruppen" im ersten Römerbriefkommentar,
in der Auslegung von Römer 13

1. Das Troeltschzitat bei Barth

In seiner ersten Auslegung des Römerbriefs thematisiert Barth in
seiner Auslegung von Kapitel 13 das Verhältnis von ,,Christentum
und Vaterland". Er stellt seine Meinung dazu dar mit Hilfe von Zi-
taten aus Wernle, Weinel, Rieger und Troeltsch, so wie in einer mit
eigenen Worten formulierten Feststellung: ,,Also so steht's zwischen
Christentum und Vaterland im Römerbrief: ,es ist keine Spur von
politischem Denken oder auch nur politischem Interesse wahrnehmbar' (Wernle). ,Der Staat ist in seinen wesentlichen Funktionen für
die Gläubigen außer Kraft gesetzt' (Weinel). ,Es macht einen eigenen Charakter von der Göttlichkeit der heiligen Schrift, daß sie von
der Obrigkeit so bedächtig lehrt. Sie treibt nämlich die Ordnung
Gottes und das daraus fließende Gute, hält aber Obrigkeit und Un-
tertanen das Reich Gottes zum eigentlichen Ziel der Hoffnung vor
und verwehrt, daß sich keiner den jetzigen Auszug der Welt, der
vergeht, möge blenden und das unbewegliche Reich, das wir emp-
fangen sollen, verdunkeln lassen' (Rieger). ,Die konservative Haltung (des Christentums) beruhte nicht auf Liebe und Schätzung
der Institutionen, sondern auf einer Mischung (!?) von Verachtung,
Ergebung und relativer Anerkennung. Es hat damit trotz aller Unterwürfigkeit den römischen Staat zerstört, indem es die Seelen seinen Idealen entfremdete, und es wirkt zerstörend auf jeden reinen
Nationalismus und auf jede rein irdische Autorität überhaupt'
(Troeltsch). Es ist prinzipiell revolutionär, indem es die Voraussetzung des Staates: die Gewalt des Bösen und damit sein
Wesen: die böse Gewalt in Frage stellt ,und seine revolutio-
näre Wirkung ist tatsächlich nicht ausgeblieben' (Troeltsch)"
(Röm1, 378).

2. Der homiletisch-aktualisierende Charakter
   von Barths Auslegung

Die Art, in der Barth sein Thema, das Verhältnis von ,,Christentum
und Vaterland im Römerbrief" einführt, macht deutlich, daß er es
nicht in einer historisch-kritischen sondern in einer homiletisch

aktualisierenden Perspektive aufgreift[142]. Die einleitende Wendung: „So also steht's zwischen Christentum und Vaterland im Römerbrief" stellt eine unmittelbare Anrede an den Leser dar. Sie kennzeichnet den Gegenstand, der erläutert werden soll, mit Begriffen, die 1918 als Schlüsselbegriffe in der politischen Selbstverständigung der Christen fungierten[143], während sie als historische Kategorien den von Paulus im Römerbrief angesprochenen Phänomenen kaum noch gerecht zu werden vermögen[144]. „So also steht's zwischen Christentum und Vaterland im Römerbrief" kündigt demnach eine Auskunft über das Verhältnis von Christentum und Vaterland an, wie es nach Barth gegenwärtig im Auslegungshorizont von Röm 13 zu verstehen ist.

Da neuerdings Marquardt Barths Auslegung von Röm 13 mit einem aktuellen Bezug auf Lenin und die revolutionären Ereignisse im November 1918 in Deutschland und der Schweiz versehen hat[145], sei jedoch darauf hingewiesen, daß hier mit dem Stichwort „aktualisierende Auslegung" derartige konkrete zeitgeschichtliche Bezüge nicht anvisiert werden[146]. Den von Marquardts Barthinterpretation anvisierten zeitgeschichtlichen Bezügen ist zudem aus historischen Gründen zu widersprechen, sofern sie auf der Annahme beruhen, Barth sei „ungefähr gleichzeitig mit dem Umsturz in Deutschland und dem Landesstreik in der Schweiz ... zu Röm 13 gekommen" und er habe Lenins Schrift „Staat und Revolution" „in erster Auflage gekannt", als er Röm 13 auslegte[147]. Der Zeitraum, in dem Barth Röm 13 bearbeitete, kann folgendermaßen bestimmt werden: Terminus a quo ist der 24. April 1918, an dem Barth Thurn-

---

142 R. Smend, Nachkritische Schriftauslegung, in: Parrhesia. Festschrift für Karl Barth, 1966, führt die These durch, daß die Barthsche Schriftauslegung die historisch-kritische Bibelwissenschaft zu ihrer Voraussetzung hat. Nach Rendtorff, Theorie des Christentums, 180.

143 R. Gaede, Kirche — Christen — Krieg und Frieden. Die Diskussion im deutschen Protestantismus während der Weimarer Zeit, 1975.

144 Dies gilt unbeschadet dessen, daß Barth den Begriff des Vaterlandes mit Hebr 11, 13—16 als biblischen Begriff einführt (Röm[1], 378).

145 F.W. Marquardt, Theologie und Sozialismus, 1972, 127.

146 In einem Brief vom 14. Juli 1920 wendet sich Barth gegen Jülichers Rezension seines Römerbriefkommentars, in der Jülicher den aktualisierenden, praktischen Charakter seines Kommentars herausgestellt hatte und dabei speziell im Blick auf die Auslegung von Röm 13 festgestellt hatte, daß Barth dort „an den jetzigen Staat denkt" (Anfänge I, 89). Dagegen schreibt Barth: „... das läppische Mißverständnis, als meine ich mit dem ‚jetzt' 1919, ist ja ganz Herpel und Rosenstock" (Werke V/3, 410). — Das „Mißverständnis" Jülichers, das „ganz Herpel und Rosenstock" ist, dient Barth als Hinweis darauf, daß er und Thurneysen in Deutschland „nach ... (sc. ihren) dortigen Freunden beurteilt" werden (aaO. 410).

147 Marquardt, 127.

eysen schrieb: „Nun bin ich an 12—13, die zusammengehören, und staune aufs Neue über die Konzentration, Gottesfurcht und Zurückhaltung, auf die bei Paulus (auch 9—11!) alles hinausläuft"[148]. Terminus ad quem ist der 4. Juni 1918, an dem Barth mitteilt, „daß gestern der Römerbrief in erster Lesung zu Ende gebracht worden ist, samt einer Vorrede ... und daß ... bereits ... die zweite Lesung" begonnen wurde[149]. Da Barth am 12. Juni, also zu Beginn seines zweiten Durchgangs, schreibt: „Bis jetzt mußte alles ganz neu ausgearbeitet werden"[150], ist noch mit Textveränderungen bis zum 19. August 1918 zu rechnen, an dem Barth schreiben kann: „Der Römerbrief ist nun also fertig"[151]. Auf den August 1918 ist auch das endgültige Vorwort der 1. Auflage datiert, in dem der Abschluß des Buches vorausgesetzt wird. Am 30. August hat bereits „das Drucken begonnen und ... das Korrigieren"[152], so daß Barth bereits die Druckbögen seines Buches korrigiert, als es zum „Umsturz in Deutschland" und zum „Landesstreik in der Schweiz" kommt (Marquardt, 127)[153]. Mit dieser Datierung ist nicht nur ein zeitgeschichtlicher Bezug von Barths Auslegung von Röm 13 auf die revolutionären Ereignisse des Novembers 1918 in Deutschland und der Schweiz ausgeschlossen, sondern auch ein Bezug auf Lenins Schrift „Staat und Revolution". Dann jedenfalls ist dieser Bezug ausgeschlossen, wenn Barth auf die deutsche Übersetzung dieser Schrift angewiesen war und Lenin recht unterrichtet war, als er noch am 20. November 1918 an J.A. Berun, W.W. Worowski und A.A. Joffe schrieb:

„Man müßte folgendes tun:
1. eingehend mit den Linken (Spartakusleuten und anderen) sprechen und sie anregen, in der Presse in einer *prinzipiellen, theoretischen* Erklärung aufzutreten, in der erläutert wird, daß Kautzky in der Frage der Diktatur nicht den Marxismus vertritt, sondern plattestes Bernsteinianertum entwickelt;
2. möglichst bald meine Arbeit ‚Staat und Revolution' in deutscher Sprache herausgeben;
3. sie wenigstens mit einem Vorwort des *Herausgebers* versehen, etwa in der Art: ‚Der Herausgeber erachtet das Erscheinen dieser Broschüre gerade im gegenwärtigen Augenblick für besonders dringlich in Anbetracht dessen, daß Kautzky in seiner letzten Arbeit den Marxismus gerade in den hier behandelten Fragen völlig entstellt, den Standpunkt der Diktatur des Proletariats durch einen platten Sozialliberalismus im Geiste Bernsteins und anderer Opportunisten ersetzt.'

148 Werke V/3, 274.
149 AaO. 279.
150 AaO. 281.
151 AaO. 288.
152 AaO. 290.   153 Vgl. aaO. 290, 295, 300 bis 302.

4. wenn nicht möglich ist, die Broschüre schnell herauszubringen, sollte man in den (linken) *Zeitungen* eine Notiz ähnlich dem ‚Vorwort des Herausgebers‘ bringen." [154]

Als Lenin in seinem Brief vom 20. November 1918 eine Übersetzung und Veröffentlichung seiner Schrift „Staat und Revolution" für den deutschsprachigen Raum anregte, war Barth bereits damit befaßt, Adressen zu sammeln, an die ein „Prospekt für den Römerbrief" verschickt werden sollte[155]. Als er seine Auslegung von Röm 13 erarbeitete, konnte er also Lenins Schrift „Staat und Revolution" noch nicht kennen, wie es Marquardt und auch Wielenga[156] in ihren Untersuchungen annehmen.

Daß Barth jedoch in seiner Römerbriefauslegung ganz generell darauf abzielt, sowohl dem paulinischen Römerbrief als auch der aktuellen Problemlage des Christentums zu genügen, hat er programmatisch im Vorwort seines Kommentars ausgesprochen: „Die Unterschiede von einst und jetzt, dort und hier, wollen beachtet sein. Aber der Zweck der Beachtung kann nur die Erkenntnis sein, daß diese Unterschiede im Wesen der Dinge *keine* Bedeutung haben... Unsere Fragen sind, wenn wir uns selbst recht verstehen, die Fragen des Paulus und des Paulus Antworten müssen, wenn ihr Licht uns leuchtet, unsere Antworten sein... Geschichtsverständnis ist ein fortgesetztes, immer aufrichtigeres Gespräch zwischen der Weisheit von gestern und der Weisheit von morgen, die ein und dieselbe ist." Als Ausdruck jener einen Weisheit kann Barth dann auch zur Bestimmung des Verhältnisses von Christentum und Vaterland Äußerungen der Theologen Wernle, Weinel, Rieger[157] und Troeltsch zusammenstellen und sich die derart kompilierten Äußerungen dann als die Meinung des Paulus selbst aneignen. Daß die Unterschiede zwischen der Zeit des Paulus und dem ersten Weltkrieg „im Wesen der Dinge *keine* Bedeutung" haben, zeigt die Verhältnisbestimmung von Christentum und Staat, mit der Barth die Zitatenkompilation in eigenen Worten zusammenfaßt: „Es (das Christentum) ist prinzipiell revolutionär, indem es die Voraussetzung des Staates: die Gewalt des Bösen und damit sein Wesen: die böse Gewalt in Frage

---

154 W.I. Lenin, Briefe V, 1968, 176–178. Der Brief ging nach Bern, Stockholm und Berlin (178). Wenn Marquardt schreibt, daß „1918 bereits drei verschiedene deutsche Übersetzungen in Berlin und Bern veröffentlicht waren" (Marquardt, 127), bezieht er sich möglichweise auf Übersetzungen, die erst durch den Brief Lenins vom 20.11.1918 angeregt wurden.

155 Werke V/3, 302, Brief vom 20. Nov. 1918.

156 B. Wielenga, Lenins Weg zur Revolution, 1971, 433.

157 In seinen Literaturangaben zum 1. Römerbrief verweist Barth auf „*C.H. Riegers* Betrachtungen über das NT (1828)" (Röm[1], 439).

stellt." Mit dieser prinzipiellen Aussage über das Christentum und das Wesen des Staates definiert Barth die Beziehung von Christentum und Staat derart, daß unter dieser Definition sowohl die urchristliche als auch die gegenwärtige Ausprägung dieser Beziehung begriffen sein soll.

3. Zitat und Kontext bei Barth

Zunächst ist das Troeltschzitat danach darzustellen, wie es sich in seiner bei Barth vorliegenden Gestalt Barths eigenem Gedankengang einfügt. Das von Troeltsch zitierte Satzfragment: „und seine revolutionäre Wirkung ist tatsächlich nicht ausgeblieben" fungiert als historische Bestätigung der von Barth formulierten These, das Christentum sei „prinzipiell revolutionär". Das Verhältnis von „Christentum und Vaterland im Römerbrief" meint Barth sogar unmittelbar mit Troeltschs Worten beschreiben zu können: „Die konservative Haltung (des Christentums) beruhte nicht auf Liebe und Schätzung der Institutionen, sondern auf einer Mischung (!?) von Verachtung, Ergebung und relativer Anerkennung. Es hat damit trotz aller Unterwürfigkeit den römischen Staat zerstört, indem es die Seelen seinen Idealen entfremdete, und es wirkt zerstörend auf jeden reinen Nationalismus wie auf jede rein irdische Autorität überhaupt". Dieses Zitat verbindet in sich historisch beschreibende Aussagen über das frühe Christentum und eine generalisierende Feststellung über das Christentum im allgemeinen. Die Redeform geht dabei vom Imperfekt ins Präsens über und bietet dadurch in sich selbst jene Vereinigung des historischen und des gegenwartsbezogenen Aspektes, die der aktualisierenden Absicht Barths entgegenkommt. Historisch beschreibend ist der Satz: „Die konservative Haltung (des Christentums) beruhte nicht auf Liebe und Schätzung der Institutionen, sondern auf einer Mischung (!?) von Verachtung, Ergebung und relativer Anerkennung." Historisch beschreibend bleibt auch der daran anschließende Satz: „Es hat damit trotz aller Unterwürfigkeit den römischen Staat zerstört, indem es die Seelen seinen Idealen entfremdete." Dann aber stellt das Troeltschzitat generalisierend und im Zeitmodus der Gegenwart fest: „... und es wirkt zerstörend auf jeden reinen Nationalismus und auf jede rein irdische Autorität überhaupt". In dieser präsentischen Wendung des Gedankens werden Phänomene in die Aussage einbezogen, die weniger typisch sind für die Zeit der frühen Christenheit als vielmehr für die Neuzeit, die Phänomene des „reinen Nationalismus" und der „rein irdischen Autorität". Durch die Präposition „jeder" erscheinen diese Phänomene jedoch unter solcher Verallgemeinerung, daß mit ihnen sowohl der römische Staat gemeint sein kann, von dem gerade vorher gesprochen wurde, als auch der Nationalismus und die rein innerweltlich begründete Autorität des neuzeitlichen Nationalstaats. In der präsentischen Wendung wird dann aber auch die an sich konservative, in ihrer Wirkung aber zerstörerische Haltung des frühen Christentums dem römischen Staat gegenüber so weit von ihrer historischen Beziehung auf den römischen Staat abgelöst, daß sie nun als Merkmal des Christentums überhaupt erscheint: „... und es (das Christentum) wirkt zerstörend auf jeden reinen Nationalismus und auf jede rein irdische Autorität überhaupt." Diese generalisierende Aussage über das Christentum und dessen Auswirkung auf die neuzeitlichen Phänomene des „reinen Nationalismus" und der „rein irdischen Autorität" kann unmittelbar als Beschreibung des Verhältnisses von „Christentum und Vaterland" gelesen werden. Die Feststellung, das Christentum wirke „zerstörend", bereitet dann für Barth die von ihm selbst formulierte Aussage vor, das Christentum sei „prinzipiell revolutionär".

4. Das Troeltschzitat in seinem ursprünglichen Zusammenhang bei Troeltsch

Troeltschs „Soziallehren der christlichen Kirchen und Gruppen" sind ein historisch gerichtetes Werk, das sein Thema von der Zeit der Verkündigung Jesu bis zur Gegenwart verfolgt, wobei jedoch die Darstellung „in erschöpfender Breite nur bis zum 18. Jahrhundert geführt wird" und die „von da aus bis zur Gegenwart sich erstreckenden Entwicklungen ... nur angedeutet werden" (GS I, 965). Troeltsch erläutert den Tatbestand, daß sich seine Darstellung vom 18. Jahrhundert an mit Andeutungen begnügt, damit, daß „die ganze Kirchengeschichte mit jenem Jahrhundert unter neue Bedingungen tritt und infolge der Auflösung der staatskirchlichen Lebenseinheit wie der Verselbständigung des modernen Denkens ... überhaupt keinen einheitlich geschlossenen Gegenstand mehr vor sich hat". Damit unterliege „auch die Sozialphilosophie der christlichen Gruppen einer unübersehbaren Zerteilung und einer immer wechselnden Abhängigkeit" (965).
Trotz oder besser gerade in dieser historischen Orientierung verfolgen die „Soziallehren" dann aber doch eine eminent gegenwartsbezogene Fragestellung. Sie wollen klären, „wie die Kirchen prinzipiell ihre Lehre begründen, von ihrem ganzen Grundwesen aus prinzipiell sich zu dem modernen sozialen Problem stellen und nach ihren Ideen

stellen müssen" (2). Da „die alten Theorien nicht mehr ausreichen und daher aus Altem und Neuem, bewußt oder unbewußt, eingestanden oder uneingestanden, neue Theorien aufgebaut werden" (4), möchte Troeltsch diesen Prozeß auf die ihm inhärenten Bestimmungsmomente hin durchsichtig machen. Dazu aber sieht er sich an die Vergangenheit der Kirchen und des Christentums verwiesen, da in „Zustimmung und Gegensatz, in Abhängigkeit und Umdeutung ... alle modernen kirchlichen Soziallehren von hier aus bestimmt" sind (3). Troeltsch gliedert seine „Soziallehren" in die Kapitel: „Die Grundlagen in der alten Kirche", „Der mittelalterliche Katholizismus", „Der Protestantismus". Das Troeltschzitat bei Barth ist dem ersten Kapitel entnommen, und zwar dem Abschnitt, den Troeltsch mit „Paulus" überschreibt. Unmittelbar vor der von Barth zitierten Stelle hatte Troeltsch an Hand der paulinischen Briefe die frühchristlichen Gemeinden in ihrer „Stellung zu den sozialen Bildungen: Familie, Staat, Gesellschaft"[158] untersucht und dabei auf Röm 13 zurückgegriffen[159].

Barths Troeltschzitat ist nun aber doch nicht unmittelbar jenem Passus entnommen, in dem Troeltsch die „Stellung" des paulinisch bestimmten Christentums „zu den sozialen Bildungen" darstellt, sondern dem daran anschließenden Passus. In diesem von Barth zitierten Passus arbeitet Troeltsch heraus, wie sich bei Paulus „konservative und revolutionäre Elemente im Christentum" vereinigen[160]. Das Zitat hat bei Troeltsch selbst folgende Gestalt:

„So ist von dieser Lehre des Paulus her der *konservative Charakter* des Christentums gegenüber allem politisch-sozialen Wesen auf lange Zeit hinaus entschieden. Es ist die merkwürdige Erscheinung, daß das an sich völlig radikale und revolutionäre Prinzip des unbedingten Individualismus und Universalismus doch eine so durchaus sozialkonservative Haltung einnimmt. Freilich ist trotz alledem seine *revolutionäre* Wirkung tatsächlich nicht ausgeblieben. Die konservative Haltung beruhte eben nicht auf Liebe und Schätzung für die Institutionen, sondern auf einer Mischung von Verachtung, Ergebung und relativer Anerkennung. Es hat damit trotz aller Unterwürfigkeit den römischen Staat zerstört, indem es die Seelen seinen Idealen entfremdete, und es wirkt zerstörend auf jeden reinen Nationalismus wie auf jede rein irdische Autorität überhaupt. Aber indem sein Individualismus und Universalismus von der religiösen Idee ausgeht und auf religiöse Werte sich bezieht, ist ihm eine solche konservative Haltung durchaus möglich" (GS I, 72).

---

158 GS I, 69—72, Seitenüberschrift.

159 „Das Imperium trägt das Schwert mit Gottes Willen und aus Gottes Ordnung" (GS I, 70). — Vgl. auch die Aufnahme von Röm 12,21b; Phil 3,20; 4,8 bei Troeltsch auf den Seiten 66, 70, 59, die ebenfalls von Barth bei seiner Auslegung von Röm 13 herangezogen werden (375ff, 377, 389).

160 GS I, 72—78, Seitenüberschrift.

5. Veränderungen des Zitates durch Barth

Die Sätze Troeltschs erfahren in ihrer Zitation durch Barth Veränderungen, die zunächst als formale Veränderungen greifbar sind:

1. Barth entnimmt der zusammenhängenden Formulierung Troeltschs zwei Zitate, wobei er die vorgegebene Satzfolge zerbricht und die Zitate in umgekehrter Folge aufführt. Das Satzfragment: „und seine *revolutionäre* Wirkung ist tatsächlich nicht ausgeblieben" wird aus der adversativen Verschränkung herausgenommen, in der es bei Troeltsch steht, und einem von Barth selbst formulierten Satz angefügt. Hierbei entfällt die Sperrung des Wortes „revolutionär". Die Worte „und" und „ist" werden von Barth ergänzt.

2. In dem Satz: „Die konservative Haltung beruhte eben nicht auf Liebe und Schätzung für die Institutionen, sondern auf einer Mischung von Verachtung, Ergebung und relativer Anerkennung", läßt Barth das Wort „eben" ausfallen, wodurch die erläuternde Funktion, die dieser Satz in Troeltschs Gedankengang hat, zum Verschwinden gebracht wird. In dem derart verselbständigten Satz ergänzt Barth dann „(des Christentums)". Stilistisch glättet er „Liebe und Schätzung für die Institutionen" zu „Liebe und Schätzung der Institutionen". Hinter das Wort „Mischung" setzt er „(!?)".

3. In dem Satz: „... und es wirkt zerstörend auf jeden reinen Nationalismus wie auf jede rein irdische Autorität überhaupt" ersetzt Barth „wie" durch „und".

6. Barths Einspruch gegen Troeltsch

Indem Barth das Troeltschzitat nicht nur aus seinem Zusammenhang heraushebt, sondern die verbleibende zitierte Einheit ihrerseits zerbricht, umstellt und die verbleibenden Hinweise auf den ursprünglichen Zusammenhang durch Auslassung unterdrückt, wird für ihn das Troeltschzitat zum frei verfügbaren Material. Betrachtet man die Voraussetzung, unter der das Troeltschzitat bei Troeltsch selbst steht, und die Pointe, mit der Barth es versieht, so läßt sich nur ein gänzlicher Widerspruch feststellen. Troeltsch resümiert, was sich aus seiner Untersuchung des paulinischen Schrifttums über die Stellung des Christentums zu den politisch-sozialen Bildungen: Familie, Staat und Gesellschaft ergeben hatte, in dem Satz: „So ist von dieser Lehre des Paulus her der *konservative Charakter* des Christentums gegenüber allem politisch-sozialen Wesen auf lange

Zeit hinaus entschieden." In völligem Widerspruch dazu faßt Barth das Verhältnis von „Christentum und Vaterland im Römerbrief" in die These: „Das Christentum ist prinzipiell revolutionär, indem es die Voraussetzung des Staates: die Gewalt des Bösen und damit sein Wesen: die böse Gewalt in Frage stellt." Dieser Widerspruch fällt aber nun außerhalb des Zitates. Ihm ist erst nachzugehen, nachdem Barths Einspruch gegen Troeltsch, wie er im Zitat selbst greifbar ist, abgeklärt wurde. Um den Einspruch Barths gegen Troeltsch am Zitat selbst zu identifizieren, gehe ich daher von jener Stelle aus, in der das gemeinsam verwendete Sprachmaterial nicht mehr fähig ist, den jeweils intendierten Sinn in sich aufzunehmen. Das ist aber der Fall in dem Satz: „Die konservative Haltung (des Christentums) beruhte nicht auf Liebe und Schätzung der Institutionen, sondern auf einer Mischung von Verachtung, Ergebung und relativer Anerkennung." Barth setzt hinter das Wort „Mischung" ein „(!?)", und gibt damit zu erkennen, daß er den Gedanken, die konservative Haltung des Christentums habe auf einer Mischung von Verachtung, Ergebung und relativer Anerkennung beruht, mit seiner These für unvereinbar hält, das Christentum sei prinzipiell revolutionär. Der Einspruch erfolgt dabei nicht gegen die Feststellung Troeltschs, das Christentum habe eine „konservative Haltung" gezeigt, sondern Barth wendet sich dagegen, daß diese konservative Haltung auf einer „Mischung von Verachtung, Ergebung und relativer Anerkennung" der Institutionen beruht habe. Barth selbst schreibt zwei Seiten nach diesem Zitat in seiner Auslegung von Röm 13, die Christen unterzögen sich den obrigkeitlichen Gewalten „nicht aus Achtung, sondern aus radikaler Verachtung des Bestehenden" und zeigt damit an, in welcher Richtung er die „Mischung" aufgelöst sehen möchte (Röm1, 380). Nur wenn die konservative Haltung des Christentums Ausdruck reiner Verachtung ist, läßt sich vom Christentum sagen, es sei prinzipiell revolutionär. Beruhte die konservative Haltung des Christentums auch nur auf einer relativen Anerkennung des Staates, so wäre es nicht mehr als prinzipiell revolutionär anzusprechen. Beruhte sie auch nur zum Teil auf Ergebung in den Staat, es könnte ihn nicht mehr in seiner Voraussetzung und in seinem Wesen in Frage stellen. Bevor dem aktuellen Sinn des Einspruchs Barths gegen Troeltsch nachgegangen wird, sollen jedoch die folgenden Ausführungen zunächst zeigen, welchen Sinn Troeltsch selbst mit dem historisch beschreibenden Satz verbindet: Die konservative Haltung des Christentums habe nicht auf Liebe und Schätzung für die Institutionen beruht, sondern auf einer Mischung von Verachtung, Ergebung und relativer Anerkennung.

7. Die Integration konservativer und revolutionärer Elemente im frühen Christentum nach Troeltsch

Bei Troeltsch steht der Satz, die konservative Haltung des Christentums habe nicht auf Liebe und Schätzung der Institutionen beruht, sondern auf einer Mischung von Verachtung, Ergebung und relativer Anerkennung, im Zusammenhang einer grundsätzlichen Betrachtung über „konservative und revolutionäre Elemente im Christentum" (72–78). Thematisch ist dabei das frühe Christentum, wie es durch die Verkündigung Jesu und die paulinischen Briefe definiert ist. In seiner historisch vorgehenden Untersuchung über die „Soziallehren" war Troeltsch in der Untersuchung der Anfänge des Christentums auf eine Spannung gestoßen, die er in einer Reflexion auf die „konservativen und revolutionären Elemente im Christentum" besonders betrachtet. Einerseits hatte Troeltsch in der Untersuchung der Verkündigung Jesu einen „absoluten Individualismus" und „Universalismus" als „soziologische Idee und Wirkung des Evangeliums" erhoben (39–45), andererseits hatte er in der Untersuchung des paulinischen Schrifttums eine konservative Haltung des Christentums gegenüber den politisch-sozialen Bildungen vorgefunden. Der erste Satz des oben wiedergegebenen Absatzes, aus dem Barth zitiert, resümiert die paulinische Entscheidung über den sozialkonservativen Charakter des Christentums. Der zweite Satz macht diese Entscheidung auf die ihr innewohnende Problematik durchsichtig, indem er sie auf die „soziologische Idee und Wirkung des Evangeliums" bezieht: „So ist von dieser Lehre des Paulus her der *konservative Charakter* des Christentums gegenüber allem politisch-sozialen Wesen auf lange Zeit hinaus entschieden. Es ist die merkwürdige Erscheinung, daß das an sich völlig radikale und revolutionäre Prinzip des unbedingten Individualismus und Universalismus doch eine so durchaus sozialkonservative Haltung einnimmt" (72). Troeltsch begreift in dieser Problembezeichnung die paulinische Entscheidung über den konservativen Charakter des Christentums als eine Bewegung des ursprünglichen, dem Christentum durch die Verkündigung Jesu gegebenen Prinzips des unbedingten Individualismus und Universalismus. Dieses „an sich völlig radikale und revolutionäre Prinzip" selbst ist es, das nach Troeltsch bei Paulus eine „sozialkonservative Haltung einnimmt". Troeltsch vermeidet durch diese Problembezeichnung, daß die paulinische Entscheidung als Abweichung vom Evangelium erscheint. Sie stellt zwar eine „merkwürdige Erscheinung" dar, soll aber als eine Bewegung des im Evangelium Jesu gründenden Prinzips selbst verstanden werden. An diesen Problemaufriß fügen sich die von Barth zitierten Sätze bei Troeltsch folgendermaßen an: Gegenläufig zu seiner Ausgangsthese, die den „*konservative(n) Charakter* des Christentums gegenüber allem politisch-sozialen Wesen" feststellt, fährt Troeltsch fort: „Freilich ist trotz alledem seine *revolutionäre Wirkung* tatsächlich nicht ausgeblieben." Logisches Subjekt auch dieses Satzes ist das Christentum, von dem nun zwei gegensätzliche Aussagen nebeneinander stehen, deren Gegensätzlichkeit durch die Sperrung der Worte „konservative(r) Charakter" und „revolutionäre Wirkung" hervorgehoben ist. Die beiden gegensätzlichen Aussagen beziehen sich jedoch auf unterschiedliche Aspekte des Christentums, sofern das Attribut konservativ dem sozialen Charakter des Christentums zukommt, das Attribut revolutionär aber der Wirkung des Christentums.

Gleichwohl bedarf die Feststellung, das Christentum habe revolutionäre Wirkungen gezeigt, vor dem Hintergrund der Aussage, es habe einen sozialkonservativen Charakter, der Erklärung. Troeltsch gibt sie in dem erläuternden Satz: „Die konservative Haltung beruhte eben nicht auf Liebe und Schätzung für die Institutionen, sondern auf einer Mischung von Verachtung, Ergebung und relativer Anerkennung." Die „Mischung von Verachtung, Ergebung und relativer Anerkennung" bezeichnet dann aber für Troeltsch dasjenige Moment, in dem konservative und revolutionäre Elemente im Christentum zusammenfallen: Die Mischung von Verachtung, Ergebung und relativer Anerkennung begründet einerseits die konservative Haltung des Christentums den Institutionen gegenüber und ist in dieser Hinsicht Kennzeichen seines sozialkonservativen Charakters. Sie begründet andererseits aber auch die Möglichkeit, daß vom Christentum doch revolutionäre Wirkungen ausgehen konnten. In welcher Weise für Troeltsch in der „Mischung von Verachtung, Ergebung und relativer Anerkennung" der Institutionen konservative und revolutionäre Elemente im Christentum zusammenfallen, ist im folgenden zu zeigen. Auszugehen ist dabei von dem „an sich völlig radikalen und revolutionären Prinzip des unbedingten Individualismus und Universalismus", das bei Paulus eine „sozialkonservative Haltung" einnimmt.

Das „an sich völlig radikale und revolutionäre Prinzip des unbedingten Individualismus und Universalismus" ist nach Troeltsch dem Christentum als „soziologische Idee und Wirkung des Evangeliums" mit der Verkündigung Jesu gegeben[161]. Der „unbegrenzte und unbedingte *Individualismus,* der sein Maß rein in sich selber hat" (39),

---

161 39—45 ist „die soziologische Idee und Wirkung des Evangeliums" Seitenüberschrift. Dort entwickelt Troeltsch den absoluten Individualismus und Universalismus aus der Verkündigung Jesu, bes. 39—41.

erhält nach Troeltsch in der Verkündigung Jesu „seinen Grund und sein Recht im Berufensein des Menschen zur Gottesgemeinschaft, oder, wie es hier heißt, zur Gotteskindschaft und dem hierin zu gewinnenden ewigen Seelenwert" (39). Mit dem derart begründeten Individualismus ist dann aber ein ebenso unbedingter Universalismus gegeben. „Wie der Individualismus aus der religiösen Idee der herzensreinen Selbsthingabe an den die Seelen suchenden und zur Kindschaft berufenden Vaterwillen ausgeht, so wird aus der gleichen Grundidee heraus der absolute Individualismus zu einer ebenso absoluten Liebesgemeinschaft der in Gott Verbundenen, zu einer Betätigung der Gottesliebe auch gegen alle Fremden und Feindlichen, weil nur durch die Offenbarung der absoluten Liebe in ihnen das wahre Gottesverständnis geweckt und der Weg zu Gott geöffnet wird... So entsteht aus dem absoluten Individualismus ein ebenso absoluter *Universalismus,* beide rein religiös begründet, ihren festen Halt in dem Gedanken des heiligen göttlichen Liebeswillen besitzend und sich gegenseitig mit völliger logischer Konsequenz fordernd" (40f)[162].

Indem sich das Christentum unter diesem „an sich völlig radikalen und revolutionären Prinzip" konstituierte, kam es nach Troeltsch zunächst zu Wirkungen, die als durchaus revolutionär identifiziert werden können: „Mindestens das Liebesgebot" mußte „eine kleine, persönlich unter sich verbundene Glaubensgemeinde auch in ihrem ökonomischen Verhalten bestimmen und zu einem ersten Versuch seiner Verwirklichung führen" (49). Das geschah nach Troeltsch in dem religiösen Liebeskommunismus der um Jesu Andenken sich scharenden Gemeinde. Sie betrachtete „die Gemeinsamkeit der Güter als Beweis der Liebe und des religiösen Opfersinnes" (49). Schon hier zeigte sich aber, daß das Prinzip des unbedingten Individualismus und Universalismus in seiner genuin religiösen Orientierung eine strikte Durchführung in den sozialen Bezügen der Gemeinde nicht einschloß. Die Gemeinsamkeit der Güter ist nur ein „Beweis der Liebe und des religiösen Opfersinnes", nicht ihre primäre Gestalt. Das „Entscheidende ist nur, daß alle opfern und daß alle zu leben haben; wie viel das ist beim ersten und beim zweiten, ist Nebensache" (49f). Daß der urchristliche Liebeskommunismus historisch „ohne jeden Kampf um sein Prinzip" verschwand, war möglich, weil die „Gesinnungsmäßigkeit der Liebe ... sich ja an sich unter allen denkbaren Verhältnissen betätigen" ließ, was für Troeltsch belegt, „daß er nur eine Folgeerscheinung und nicht eine Grundidee war" (49f).

---

162 Vgl. auch GS IV, 168.

Den religiösen Charakter des urchristlichen Liebeskommunismus, der ihn von einer sozial-revolutionären Bewegung schied, kann Troeltsch auch noch von einer anderen Seite aus beleuchten: „Jedes ... zugleich individualistische und universalistische System", schreibt Troeltsch, „enthält naturnotwendig irgendwie den Gedanken der Gleichheit, stellt alle Individuen auf den Boden eines gleichen Anspruchs an den höchsten und letzten Lebenswerten oder doch einer gemeinsamen Berufung und Bestimmung für diese Werte" (60f). Daß der urchristliche Liebeskommunismus das Prinzip des unbedingten Individualismus und Universalismus nicht ökonomisch auslegte, ist dann aber leicht zu zeigen, denn „ihm fehlt vor allem jede Gleichheitsidee, sei es die absolute Gleichheit der Anteile, sei es die relative der Verdienst und Leistung entsprechenden Beteiligung" (49). „Wie der Individualismus nur in der von Gottes allumfassender Liebe ausgehenden Liebesrichtung auf den Nächsten begründet ist, so ist auch der hier eingeschlossene Gleichheitsgedanke rein auf die religiöse Sphäre beschränkt" (61).

Dieser letzte Satz leitet nun aber schon zu einem späteren von Troeltsch untersuchten Entwicklungsstadium des Christentums über, in dem eine „religiöse Sphäre" als solche ausgebildet ist. Es ist der Entwicklungsstand, der nach Troeltsch im paulinischen Schrifttum zum Ausdruck kommt. In ihm ist das Christentum als eine „selbständige (...) Religionsgemeinschaft" (59) mit dem „Christkult" (58) als Zentrum bereits vorausgesetzt. An Troeltschs Ausführungen über Paulus wird nun zu zeigen sein, inwiefern bei diesem „das an sich völlig radikale und revolutionäre Prinzip des unbedingten Individualismus und Universalismus" eine „sozialkonservative Haltung einnimmt" und eine „konservative Haltung" des Christentums begründete, die nicht auf „Liebe und Schätzung für die Institutionen" beruht, sondern auf einer „Mischung von Verachtung, Ergebung und relativer Anerkennung" (72). Es wird zu zeigen sein, inwiefern sich darin der „konservative Charakter des Christentums gegenüber allem politisch-sozialen Wesen" formte und wie dabei doch die Möglichkeit „revolutionäre(r) Wirkungen" des Christentums erhalten blieb.

Die Ausbildung einer religiösen Sphäre im Christuskult hat nach Troeltsch weitestreichende Folgen für die soziologische Idee und Wirkung des Evangeliums. Zunächst empfängt der „soziologische Gedanke ... in dem alles durchwirkenden, mit dem Gottesgeist identischen Pneuma-Christus eine unermeßliche wirksame kultische Vergegenwärtigung seines Beziehungsmomentes" (59f), welches bis dahin unmittelbar der heilige göttliche Liebeswille gewesen war. Aber, und das ist die Folge dieser Vergegenwärtigung, nun wird die „Got-

teskindschaft als Inbegriff des absoluten religiösen Individualismus ... zum ‚Sein in Christo'" (60). Sie wird gebunden an die Teilnahme an der Kultgemeinde. Auch ist das Beziehungsmoment der Liebesgemeinschaft der Gläubigen nun nicht mehr unmittelbar der heilige göttliche Liebeswille, sondern der Christus, und die Bruderliebe ist der Ausdruck „nicht der Bruderschaft in Gott, sondern in Christo" (60). Für den Universalismus hat das zur Folge, daß er das zwar nach innen, im Rahmen der Gemeinde, bleibt, nach außen aber die Gestalt von „Mission und Bekehrung" annimmt, die eine „sehr viel verwickeltere Arbeit ... als ... das bloße Kundwerdenlassen der Liebe als der Gesinnung Gottes" erfordert (60). Durch Mission und Bekehrung soll „vor der Wiederkunft Christi und dem Gericht die gesamte ohne Christus verlorene Welt ... in die erlösende Anteilnahme an Tod und Auferstehung des Pneuma-Christus aufgenommen werden" (60). So bekommen „die sehr allgemeine Individualitätsidee und die sehr freie und bewegliche Gemeinschaftsidee des Evangeliums ... eine starke Zuspitzung und eine empfindliche Verengung" (59).
Diese Restriktion des an sich völlig radikalen und revolutionären Prinzips des unbedingten Individualismus und Universalismus wirkt sich nun aber auch restriktiv auf die Wahrnehmung dieses Prinzips in den sozialen Bezügen aus. Die Teilnahme an der Liebe Gottes vollzieht sich in der Teilnahme am Christuskult und vermittelt dort „durch sich selbst ohne jede äußere soziale Veranstaltung und Sichtbarmachung die prinzipielle Gleichheit ... trotz aller Unterschiede in menschlicher Lebensstellung, in Begabung und in ethischer Leistung" (61). Die Liebe Gottes, ihre „äußere Wirkung und Sichtbarmachung, ihre Organisation und Verteilung besteht daher lediglich in der Gemeinsamkeit eines Kultus, der keine Unterschiede vor Gott kennt, und in der Liebe, die keine Überhebung kennt" (62). Wollte schon „der Liebeskommunismus der kleinen Urgemeinde ... im übrigen die Welt ruhig bestehen lassen" (74), so wird die Haltung des Christentums den politisch-sozialen Bildungen gegenüber nun definitiv konservativ, indem das „an sich völlig radikale und revolutionäre Prinzip des unbedingten Individualismus und Universalismus" in der „Kultgemeinde" als dem „Leib des Christus" (59) einen fest umschriebenen Ort seiner Verwirklichung erhält und die in ihm beschlossene „Gleichheit ... nur in der gleichen Anteilnahme aller am Kult zum Ausdruck kommt" (61). Durch Ausbildung einer religiös-kultischen Sphäre im Christuskult stellt sich das Christentum mit seinem Prinzip des unbedingten Individualismus und Universalismus jenseits der politisch-sozialen Bildungen. Daß es ihnen gegenüber sein Prinzip nicht in Anschlag bringt, sondern sich kon-

servativ verhält, ist dann aber nicht als Ausdruck der „Liebe und
Schätzung für die Institutionen" zu verstehen, sondern als Ausdruck ihrer „Verachtung": Der höchste Lebenswert realisiert sich
im Christuskult und in den persönlichen Beziehungen der in ihm
vereinten Gemeinde. Die politischen Institutionen verfallen dem
gegenüber der Verachtung, da sie diesen höchsten Lebenswert weder vermitteln noch in sich realisieren.

Von dieser auf Verachtung beruhenden konservativen Haltung des
Christentums läßt sich dann aber auch sagen, daß sie revolutionäre
Wirkungen nicht ausschloß. Troeltsch schreibt über das Christentum und seine derart begründete konservative Haltung: „Es hat damit trotz aller Unterwürfigkeit den römischen Staat zerstört, indem
es die Seelen seinen Idealen entfremdete, und es wirkt zerstörend
auf jeden reinen Nationalismus wie auf jede rein irdische Autorität
überhaupt" (72). Weil sich das Christentum im Christuskult jenseits
des Staates stellt und in ihm den höchsten Lebenswert realisiert,
entfremdet es die Seelen den Idealen des Staates. Darin aber wirkt es
auf ihn, wie auf jeden reinen Nationalismus und jede rein irdische Autorität überhaupt, zerstörend, und Troeltsch kann vom Christentum
feststellen, „seine *revolutionäre* Wirkung" sei „tatsächlich nicht ausgeblieben" (72). Der Sinn dieses Satzes ist nach den bisherigen Ausführungen aber nun deutlicher zu bestimmen: Diese revolutionäre
Wirkung ist eine rein tatsächliche, sie ist nicht intendiert, sofern sie
nicht aus einer politischen Durchführung des unbedingten Individualismus und Universalismus folgt. Sie hat als politische Wirkung
vielmehr den Charakter einer ungewollten Nebenwirkung der rein
religiösen Durchführung dieses Prinzips. Sie hat nicht eine Neukon-
stituierung der politischen Verhältnisse zum Inhalt, sondern spie-
gelt nur, wie sie sich dann auch rein negativ als Zerstörung äußert,
die Interessenlosigkeit des Christentums an einer Gestaltung der
staatlichen Verhältnisse.

Die konservative Haltung des Christentums beruhte nach Troeltsch
nun aber nicht nur auf Verachtung, sondern auch auf Ergebung in
die Institutionen. Dieses Moment der Ergebung ergibt sich nach
Troeltsch aus der Behandlung des Prädestinationsproblems bei Paulus. Die Spannung zwischen der Universalität des göttlichen Liebeswillens und seiner nur partikularen Verwirklichung in der Kultgemeinde stellte vor die Frage, ob seine Nichtverwirklichung „lediglich in Wille und Schuld des Menschen, aber nicht in Wille und Wesen Gottes begründet" sei (62). Paulus antwortet auf diese Frage:
„Es bleibt Gottes Sache, die einen zu berufen und die anderen
nicht zu berufen" (63). Ist das aber erst die schärfste Formulierung
des Problems, sofern nun die Universalität des göttlichen Liebeswil-

78

lens selbst problematisiert ist, so besteht seine Auflösung dann darin — jedenfalls nach dem, wie Paulus sich die Geschicke seines Volkes zurechtlegt —, daß eben dieser souveräne Wille Gottes sich doch letztlich „das Ziel der Gnade und Güte setzt", so daß „die ungleiche Verteilung der Berufung sich nur auf die Verteilung der Geschicke im Zusammenhang der Heilsgeschichte bezieht" (63f). Damit ist einerseits die Universalität des göttlichen Liebeswillens als der feste Halt des unbedingten Individualismus und Universalismus gewahrt, andererseits aber ist die Antwort auf die Frage nach der geschichtlichen Beteiligung daran auf die „unbegreifliche Willenssetzung Gottes" zurückgeschoben (64). In der Welt „bleibt ... ein Moment des Irrationalen in der Beteiligung an diesem absoluten Wert, und dies Moment geht zurück auf den unergründlichen Willen Gottes" (64). Troeltsch sieht in dieser Durchführung des Prädestinationsgedankens „eine Auswirkung des im ganzen Gottesgedanken des Evangeliums enthaltenen Willensmomentes, das im israelitischen Gottesgedanken stets besonders stark ausgeprägt war und ihm seine Gewalt der unendlichen, das Geschöpf überragenden Allmacht verliehen hatte" (63). Diese Anerkenntnis der Souveränität Gottes, dessen „Güte ... Gnade und grundlose Barmherzigkeit, gleicherweise in Schöpfung und Erlösung" ist (63), führt nun aber dazu, nicht nur die volle Verwirklichung des unbedingten Individualismus und Universalismus „Gott anheimzustellen" (64), sondern auch in den „weltlichen Beziehungen und Ordnungen ... soweit sie nicht offenkundig auf Sünde beruhen ... göttliche Ordnungen und Setzungen zu sehen, die ohne Frage nach ihren Gründen hinzunehmen sind" (65). In dieser Hinsicht kann Troeltsch dann aber sagen, die konservative Haltung des Christentums den Institutionen gegenüber habe auch auf Ergebung in die Institutionen beruht. Freilich unterbindet diese ergebene Haltung nicht, daß das Christentum nicht doch „trotz aller Unterwürfigkeit den römischen Staat zerstört" (72). Diese ergebene Haltung ist ja nicht Ausdruck der „Liebe und Schätzung für die Institutionen" (72), sondern sie duldet sie nur, „soweit sie nicht offenkundig auf Sünde beruhen" (65) als Gottes Ordnungen und Setzungen.

Daß Paulus auch den Bereich, in dem der universale göttliche Liebeswille nicht zur Verwirklichung gelangt ist, doch dem souveränen Willen Gottes unterstellt sieht, ist außerordentlich folgenreich für die soziale Selbstgestaltung des Christentums und für sein ganzes soziales Verhalten auch gegenüber den nicht spezifisch christlichen sozialen Bildungen der Familie, der Gesellschaft und des Staates, mit denen es das Christentum je länger, je mehr zu tun bekommt. „Indem die Gemeinden einen eigenen Kult- und Lebenskreis zu bilden anfangen, müssen sie auch *äußerlich* gegen Staat und Gesellschaft sich abgrenzen und müssen sie im eigenen Innern, soweit es in ihrer Macht steht, bei sich selbst die sozialen Verhältnisse ordnen" (69). Der genuin religiös orientierte Individualismus und Universalismus begründet zunächst nur eine Gleichheit der in Gott verbundenen Gläubigen. Als sozialer Verband aber wird das Christentum auch mit den „Ungleichheiten der Menschen in ihrem weltlichen Leben" befaßt (66). „Der radikale Individualismus und Universalismus ist an sich gliederungslos, er umschließt lauter gleiche, weil unendlich wertvolle Persönlichkeiten und umfaßt alle mit gleicher, weil ins Zentrum der Seele dringender Stärke" (68). Mit der Ausbildung eines „Kult- und Lebenskreises" machen sich aber „zwischen den beiden Polen des Individualismus und Universalismus auch die natürlichen Differenzierungen geltend, wie sie verschiedene Anlagen, Stellungen und Leistungen innerhalb des Ganzen, aber auch das Hineinragen der von anderen Verhältnissen her bereits bewirkten Differenzierungen mit sich bringen" (68). Hier wird es wichtig, daß das Christentum auch diese individuellen Verschiedenheiten und sozialen Differenzierungen als „von Gott gegebene (...) Gaben" (66), als „göttliche Ordnungen und Setzungen" (65) oder doch als seine „Zulassung" (75) betrachten kann. Nur unter dieser Voraussetzung nämlich braucht es sich zu ihnen „nicht rein negativ" zu verhalten (66). Nach Troeltsch werden „die Ungleichheiten der Menschen in ihrem weltlichen Leben ... *positiv aufgenommen in den soziologischen Grundgedanken des Wertes der Persönlichkeit* und der unbedingten Liebesgemeinschaft" (66). „In die religiöse Gleichheit wird die irdische Ungleichheit hineingewirkt als ein Stoff, von dem die erstere einen besonderen Anlaß zur Betätigung empfängt" (66). „Der gegenseitige Dienst aller an einander mit den von Gott gegebenen Gaben, ... die Rücksicht der Starken auf die Schwachen und die Hebung der Schwachen durch die Starken, all das begründet ein gegenseitiges Nehmen und Geben, in dem die christlichen Grundtugenden der Selbsthingebung und Demut, wie der Liebe und Verantwortlichkeit für andere" gerade unter Aufnahme der Ungleichheit der Menschen zur Entfaltung gelangen (66). Die Persönlichkeit, wie sie in dem unbedingten Individualismus durch Wesens- und Willenseinigung mit Gott gegeben ist, findet so an den Ungleichheiten der Menschen in ihrem weltlichen Leben „einen besonderen Anlaß zur Betätigung" (66). Entsprechend treten auch die in der Gemeinde bestehenden Über- und Unterordnungsverhältnisse in einen „inneren Zusammenhang mit dem religiösen Gemeinschaftsgedanken selbst, indem sie zu Mitteln der Entwicklung gerade religiös-ethischer Werte gemacht werden, indem sie die religiös motivierte Solidarität, Gesamtverantwortlichkeit und Fürsorge gegenüber den jeweils Untergeordneten und die religiös motivierte Hingebung, Liebe und Gehorsamspflicht gegenüber den jeweils Übergeordneten behaupten" (68). „So entsteht eine beständige Bewegung und mit ihr selbst doch ein Ausgleich aller Bewegung und Unterschiedlichkeit in dem allen gemeinsamen göttlichen Leben". (68f) Werden derart die Ungleichheiten der Menschen in ihrem weltlichen Leben und die sozialen Differenzierungen innerhalb der Gemeinde „zu Quellpunkten eigentümlicher ethischer Werte gemacht" (66), dann impliziert das aber ihre relative Anerkennung. Die Tatsache, daß sie „positiv aufgenommen" werden „in den Grundgedanken des Wertes der Persönlichkeit und der unbedingten Liebesgemeinschaft" (66), stellt als solche ihre „religiöse Anerkennung" dar (67). Diese Anerkennung ist aber nur relativ, da der Zweck, unter dem sie positiv aufgenommen werden, seinerseits auf einen Ausgleich dieser Ungleichheiten und damit auf die „religiöse Überwindung der irdischen Ungleichheit" zielt (67). Bei Paulus werden diese Gedanken, die eine relative Anerkennung der Institutionen ausdrücken, primär für die sozialen Beziehungen und Differenzierungen *innerhalb* der Gemeinde entwickelt. Der Gedanke aber, daß auch die „großen Differenzierungen des staatlichen und sozialen Lebens ... soweit sie nicht offenkundig auf Sünde beruhen ... göttliche Ordnungen und Setzungen" darstellen (65), erlaubt es, daß man auch sie „als Gottes Setzung und Zulassung" nicht nur „duldet", sondern auch „benützt" (75). Aufs Ganze „sollen die Christen die bestehenden Ordnungen achten und sie zum Guten wenden" (70). So erstreckt sich dann aber „durch das Hereinragen der von anderen Verhältnissen her bereits bewirkten Differenzierungen" in die Gemeinde selbst (68) diese Haltung „relativer Anerkennung" auch auf die politisch-sozialen Bildungen Familie, Gesellschaft und Staat, wobei ihnen gegenüber dann allerdings das „positive Verhältnis ... lediglich ein Aufsuchen der von selbst sich darbietenden Berührungspunkte" bleibt (70).

Ist damit erläutert, warum die konservative Haltung des Christentums nicht nur auf Verachtung und Ergebung, sondern auch auf einer relativen Anerkennung der Institutionen beruhte, so ist doch noch offen, warum diese relative Anerkennung letztlich trotz ihrer Relativität doch nur eine konservative Haltung begründete. Wurden die Institutionen darin anerkannt, daß sie in Beziehung zu den „Grundgedanken des Wertes der Persönlichkeit und der unbedinten Liebesgemeinschaft" traten, so wurden sie in dieser Beziehung doch auch relativiert, sofern der in dieser relativen Anerkennung eröffnete Umgang mit ihnen auf eine „religiöse Überwindung der irdischen Ungleichheit" zielte (67). Gerade dort, wo das Christentum die sozialen Gegebenheiten nicht einfach beiseite stellte, sondern sie relativ anerkannte, eröffnete sich ihm die Möglichkeit, mit dem ihm eigenen, an sich völlig radikalen und revolutionären Prinzip des unbedingten Individualismus und Universalismus — trotz dessen genuin religiöser Orientierung —, auf den sozialen Bereich einzuwirken. Und in der Tat meint Troeltsch, daß von hier aus „eine durchgreifendere Reform möglich geworden" (67) sei. Weil aber bei Paulus die Einbeziehung der „Ungleichheit der Menschen in ihrem weltlichen Leben" in den „Grundgedanken des Wertes der Persönlichkeit und der unbedingten Liebesgemeinschaft" nicht zum Zwecke einer „Verbesserung der Lebensbedingungen" erfolgte, sondern auf ihr „Ertragen und Fruchtbarmachen für inneren Gewinn" zielte (67), blieb bei ihm diese revolutionäre Kraft verdeckt. In der Haltung relativer Anerkennung der Institutionen setzte sich das Moment der „willigen Akzeptierung der gegebenen Ungleichheiten" durch (68) und die „religiöse Überwindung der irdischen Ungleichheit" (67) vollzog sich nur als ihre „Fruchtbarmachung für die ethischen Werte der persönlichen Aufeinanderbeziehung" (68). Die Haltung des Christentums blieb daher in sozialer Hinsicht quietistisch und konservativ. Dieser Gesichtspunkt zeigt auch, warum die relative Anerkennung der Institutionen mit deren Verachtung vereinbar war. Mit der relativen Anerkennung der Institutionen ging das Christentum zwar positiv auf die politisch-sozialen Bildungen ein, doch nur, um an ihnen die religiös-ethischen „Werte der persönlichen Aufeinanderbeziehung" (68) auszubilden. Nicht erhob es dadurch die Gestaltung der Institutionen selbst zum Gegenstand seiner ethischen Selbstgestaltung. In dieser Hinsicht blieb das Christentum trotz der relativen Anerkennung der Institutionen an ihnen uninteressiert und verhinderte die revolutionäre, zerstörerische Wirkung, die aus dieser Interessenlosigkeit folgte, nicht.

8. Die historische Reichweite der von Paulus vorgenommenen
    Verbindung konservativer und revolutionärer Elemente
    im Christentum nach Troeltsch

Der Sinn des Satzes, die konservative Haltung des Christentums habe nicht auf Liebe und Schätzung für die Institutionen beruht, sondern auf einer Mischung von Verachtung, Ergebung und relativer Anerkennung, ist damit in seinen einzelnen Momenten entfaltet. Es ist gezeigt, inwiefern in der Mischung von Verachtung, Ergebung und relativer Anerkennung der Institutionen der sozialkonservative Charakter des paulinisch bestimmten Christentums zum Ausdruck kommt und inwiefern von der derart begründeten konservativen Haltung des Christentums den Institutionen gegenüber doch eine revolutionäre Wirkung ausgehen konnte. Im folgenden wird nun zu zeigen sein, welche historische Reichweite nach Troeltsch dieser von Paulus festgeschriebenen Verbindung konservativer und revolutionärer Elemente im Christentum zukommt. Erst dann, wenn dies geklärt ist, kann Barths Einspruch gegen das Troeltschzitat, sofern er mehr sein will als die Korrektur eines historischen Urteils über das frühe Christentum, deutlich erfaßt werden und der Widerspruch zu Troeltsch, was den Kontext des Zitates bei Troeltsch betrifft, deutlich werden.

Wenn Troeltsch schreibt, ,,von dieser Lehre des Paulus her" ist der *,,konservative Charakter* des Christentums gegenüber allem politisch-sozialen Wesen auf lange Zeit hinaus entschieden", so signalisiert die Zeitangabe, daß Troeltsch dem Christentum nicht auf alle Zeit hinaus einen sozialkonservativen Charakter zuschreiben möchte. Die obige Analyse der Grundlagen der konservativen Haltung des Christentums hat gezeigt, wie in ihnen konservative und revolutionäre Elemente verbunden sind. Sie zeigte, wie einerseits ,,das an sich völlig radikale und revolutionäre Prinzip des unbedingten Individualismus und Universalismus" bei Paulus eine ,,sozialkonservative Haltung" eingenommen hat und wie andererseits doch diese ,,sozialkonservative Wendung des Gedankens ... zugleich die radikalen Elemente der christlichen Idee [sc. verwahrt], die rein auf die innere Erneuerung, die religiöse Persönlichkeit und die Gemeinschaft der Persönlichkeiten untereinander, damit zugleich auf ein jenseitiges Ziel der ethisch-religiösen Vollendung gehen", wodurch ,,die innerweltlichen Lebensorganisationen zu benützbaren Stützpunkten, aber doch nur zu duldenden und innerlich fremden Provisorien" werden (74). Troeltsch weist nun in einem Ausblick auf die Entwicklung des Christentums nach Paulus darauf hin, daß bei Paulus ,,diese Aufeinanderbeziehung der konservativen und radikalen Elemente charakteristisch gerade auf dem ... Umstand [sc. beruht], daß eine innere Verbindung und Kontinuität zwischen den allgemeinen politisch-wirtschaftlich-sozialen Zuständen und den Werten des persönlich-religiösen Lebens nicht gesucht und nicht gefunden wird" (80). Bei diesem Nebeneinander ist es nach Troeltsch aber nicht immer geblieben: ,,Mit diesem Prinzip des bloßen Nebeneinanders der gegebenen Zustände und der idealen Forderung, und das heißt dann auch mit dieser Verbindung des Konservativen und Radikalen bricht ... der Calvinismus" (81f). Er tut es nach Troeltsch, indem er ,,die modernen wirtschaftlichen Erwerbsformen und das moderne politische Leben als Voraussetzung der Emporentwicklung eines heiligen Gemeinwesens, eines christlich-sozialen Ganzen anerkennt und ein Auge gewinnt für die materielle, äußerliche und zuständliche Bedingtheit der geistigen Werte" (82). Darin gefolgt, meint Troeltsch, seien ihm dann aber auch die anderen „modernen Konfessionen, denen überall die modernen Verhältnisse und die moderne theoretisch-sozialwissenschaftliche, ökonomische und politische Einsicht die Anerkennung aufgenötigt hat, daß die ethisch-religiösen Werte der christlichen Persönlichkeits- und Liebesidee an allgemeine Voraussetzungen des ökonomisch-rechtlich-politischen Unterbaus genauso gebunden sind, wie alle sonstigen geistig-ethischen Werte überhaupt" (82). Nimmt das Christentum aber unter dieser Einsicht die Gestaltung der politisch-sozialen Verhältnisse als legitime Aufgabe in sein Selbstverständnis auf, dann hat das weitreichende Konsequenzen für seine praktische Haltung ihnen gegenüber. Nach Troeltsch „entwickelt ... der Calvinismus eine radikale, die allgemeinen Zustände politisch und wirtschaftlich formende Konsequenz, die hier Stück für Stück den alten christlichen Konservativismus und seine Passivität überwindet" (82). Der „*konservative Charakter* des Christentums gegenüber allem politisch-sozialen Wesen", der von Paulus her „auf lange Zeit hinaus entschieden" war, kommt damit nach Troeltsch im Calvinismus zu seinem Ende. Sachlich aber geschieht das dadurch, daß das Christentum zur Erstellung eines „christlich-sozialen Ganzen" (82) auch die sozialen Verhältnisse seiner Gestaltung unterwirft. Abgebaut wird dabei jene Haltung der Verachtung, in der sich das frühe Christentum mit seinem Prinzip des unbedingten Individualismus und Universalismus jenseits der sozialen Bildungen gestellt hatte. Die „religiös-kultische Sphäre", in der das frühe Christentum eine separierte, rein religiöse Verwirklichungsform seines unbedingten Individualismus und Universalismus fand, wird transzendiert auf den allgemeinen politisch-sozialen Bereich hin. Indem das Christentum anfängt, die Verwirklichung der „religiös-ethischen Werte der Persönlichkeits- und Liebesidee" an die Gestaltung des „ökonomisch-rechtlich-politischen Unterbaus" zu knüpfen (82) und sie „in kontinuierlichem Zusammenhang mit und in Abhängigkeit von der Naturbasis des Lebens zu verstehen" (72), trägt es die revolutionäre Kraft des ihm eigenen religiösen Prinzips in den sozialen Bereich hinein. Nicht jedoch wird damit das Christentum nach Troeltsch „prinzipiell revolutionär". Vom Calvinismus stellt Troeltsch fest: Er überwand „den alten christlichen Konservativismus und seine Passivität..., ohne daß damit die gerade hier stark ausgeprägte prädestinatianisch-voluntaristische Gottesidee aufgehört hatte, zur Anerkennung und ethischen Nützung der naturgesetzten Differenzen im Sinne des Paulus zu wirken" (82). Der Calvinismus löst also nach Troeltsch zwar den sozialkonservativen Charakter des Christentums auf, eliminiert aber doch nicht jedes konservative Element aus der Haltung des Christentums den politisch-sozialen Gegebenheiten gegenüber. Die „prädestinatianisch-voluntaristische Gottesidee", die oben bei Paulus als Grundlage für die ergebene Haltung des Christentums den Institutionen gegenüber und als Voraussetzung ihrer relativen Anerkennung identifiziert wurde, wirkt nach Troeltsch auch im Calvinismus noch „zur Anerkennung und ethischen Nützung der naturgesetzten Differenzen im Sinne des Paulus" (82). „Eine religiöse Lehre ... wie der christliche Monotheismus", schreibt Troeltsch generalisierend, „wird ... gerade als religiöser Glaube, der die ganze Welt und ihren Lauf trotz Teufel und Dämonen von Gott geleitet glaubt, als Ergebung in den prädestinierenden und Unterschiede setzenden göttlichen Willen, niemals prinzipiell revolutionär sein können. Sie wird insofern den gegebenen sozialen Ordnungen und Institutionen, den Machtverhältnissen und Unterschieden gegenüber immer einen konservativen Zug der Fügung und Ergebung haben" (76).

Zusammenfassend läßt sich sagen, daß der „konservative Charakter des Christentums gegenüber allem politisch-sozialen Wesen" (72), der von Paulus her für lange Zeit festgelegt war, nach Troeltschs Urteil seit dem Calvinismus in den modernen Konfessionen fortschreitend abgebaut wird, und zwar dadurch, daß sich das Christentum mit seinem Prinzip des unbedingten Individualismus und Universalismus nicht mehr in *Verachtung* der Institutionen jenseits der politisch-sozialen Bildungen in einer religiös-kultischen Sphäre allein zu gestalten sucht, sondern „die sozialen Ordnungen positiv als Unterlage und Vorformen der Erreichung des höchsten religiös-ethischen Zieles zu gestalten" unternimmt (72). Daß das Christentum in Überwindung des frühchristlichen Quietismus in politisch-sozialen Dingen nun seinerseits nicht prinzipiell revolutionär wird, bewirkt dabei das weiterhin wirksame Moment der *Ergebung* in die einmal bestehenden Institutionen als Ausdruck des prädestinierenden und Unterschiede setzenden göttlichen Willens. Das Moment *relativer Anerkennung* der Institutionen, das schon bei Paulus dem Christentum einen Zugang zu den politisch-sozialen Bildungen eröffnet hatte, wenn auch nur zum Zwecke ihrer „Fruchtbarmachung für die ethischen Werte der persönlichen Aufeinanderbeziehung" (68), ermöglicht in umfassender Weise ein Eingehen auf die politischen und sozialen Gegebenheiten. Mit Blick auf Barths Einspruch gegen Troeltsch, sofern er die Gegenwartsdimension des Troeltschzitates bei Barth betrifft, läßt sich daher sagen, daß das

Moment der Verachtung, das nach Barth allein die Haltung des Christentums gegenüber dem Staat bestimmt, nach Troeltsch in den modernen Konfessionen gerade abgebaut ist, und zwar mit der Folge, daß eine gegenüber Paulus neue Verbindung konservativer und revolutionärer Elemente im Christentum dabei entstand. In dieser ist der einseitig „konservative Charakter des Christentums gegenüber allem politisch-sozialen Wesen" (72) aufgehoben. Andererseits wird das Christentum aber auch nicht „prinzipiell revolutionär" (Röm1, 378). Indem die Verachtung der Institutionen, mit der sich das Christentum jenseits der politisch-sozialen Bildungen gestellt hatte, überwunden wird, beginnt es sich vielmehr in ihnen selbst eine ethische Gestalt zu geben.

9. Das Verhältnis von Christentum und Nationalismus nach Troeltsch

Troeltsch hat die von ihm für die modernen Konfessionen indizierte Verbindung konservativer und revolutionärer Elemente sich selbst zu eigen gemacht. In seinen Soziallehren verweist er in dem Abschnitt über konservative und revolutionäre Elemente im Christentum auf seinen Vortrag über „Politische Ethik und Christentum" von 1904. Er habe dort den „relativ konservativen Charakter der christlichen Ethik" dargetan, dann „freilich auch die Gegenseite betont", nämlich die revolutionären Elemente des Christentums (GS I, 76 Anm. 36b)[163]. Troeltsch war in diesem Vortrag in einer Reflexion auf die Geschichte der Folgen der ursprünglich rein religiösen Idee des Christentums für seine Gegenwart zu der These gelangt: „Die christliche Idee revolutioniert die staatlichen Bildungen durch die Forderung der Persönlichkeit, die ihren Wert und ihre Selbständigkeit nicht in sich verschließen kann, sondern hinaus drängt zur Mitwirkung an der Bildung des Staatswillens. Sie beugt den Individualismus mit seinem natürlichen Gleichheitsstreben unter die erziehende Autorität und unter die aus Gottes natürlicher Ordnung folgenden Machtgebilde" (Pol. Ethik, 36f). Beide Aspekte faßte er in dem Satz zusammen: „Das Christentum ist

---

163 1904 hielt Troeltsch vor dem Evangelisch-sozialen Kongreß diesen Vortrag unter dem Thema: „Die christliche Ethik und die heutige Gesellschaft". Die Leitsätze dieses Vortrags wurden abgedruckt in: Verhandlungen des Evangelisch-sozialen Kongresses, Göttingen 1904, 11–13. Als selbständige Schrift erschien er in Göttingen 1904 unter dem im Text angeführten Titel.

demokratisch und konservativ zugleich" (37)[164].
Diese politische Idee des Christentums „demokratisch und konservativ zugleich" versuchte er sodann als einen Inbegriff politischer Gesinnung überhaupt vorzustellen, so daß er auch von einer rein nationalistischen Ethik der Vaterlandsliebe angeeignet werden könne, einer Ethik, die nach Troeltsch „ursprünglich nichts mit der christlichen Ethik zu tun" hat (Pol. Ethik, 25). Dieses Bemühen Troeltschs, die politische Idee des Christentums mit der rein nationalistischen Ethik der Vaterlandsliebe in einem Inbegriff politischer Gesinnung zu synthetisieren, vermag den Sinn zu erhellen, den Troeltsch selbst im Blick auf die Gegenwart mit der generalisierenden Feststellung in seinen „Soziallehren" verband: Das Christentum wirke „zerstörend auf jeden reinen Nationalismus wie auf jede rein irdische Autorität überhaupt" (GS I, 723 = Röm[1], 378). Dieser Satz, mit dessen Zitation Barth seine These vorbereitet, das Christentum sei „prinzipiell revolutionär", sagt nach Troeltsch im Blick auf seine Ausführungen von 1904 über das gegenwärtige Christentum, daß es auf die *Reinheit* des Nationalismus und die *Reinheit* der rein irdischen Autorität zerstörerisch wirke. Unter seiner Idee „demokratisch und konservativ zugleich" bestreitet das Christentum nach Troeltsch dem Staat „den Charakter des Selbstzwecks" (Pol. Ethik, 37) und zerstört die Reinheit des Nationalis-

---

164 Auf die Differenz zwischen Luthertum und Calvinismus (vgl. GS I, 792) im Urteil Troeltschs wird hier nicht weiter eingegangen, sofern Troeltsch die Entwicklung des Protestantismus im Ganzen durch den demokratischen Calvinismus bestimmt sieht, dessen Auslegung des Christentums auch auf das Luthertum übergreife (I, 946).
   G. Schmidt hat die Bedeutung nachgewiesen, die das Ideal einer „Verbindung von demokratischen und aristokratischen Prinzipien" (207) für Troeltschs gesamtes politisches Denken besitzt und wie es seine politischen Äußerungen von seinen Kriegsschriften bis zu den „Spektatorenbriefen" bestimmt: „Rechtfertigt Troeltsch 1914/ 15 die konstitutionelle Monarchie damit, daß sie sein liberal-konservatives Leitbild verwirklichen könnte und in der Lage wäre, demokratische und aristokratische Elemente in eine gesunde Mischung zu bringen, so weist er nach dem Zusammenbruch der Monarchie einer sozialen Kräftegruppe (sc. der „Weimarer Koalition aus Mehrheitssozialdemokraten, DDP und Zentrum/Erzberger") die gleiche Aufgabe zu" (199). Die „soziale Monarchie meinte nichts anderes als die evolutionäre Demokratisierung der gegebenen monarchistischen Staatsform; die konservative Demokratie bedeutete umgekehrt eine Zügelung der mit der Revolution aufgestiegenen Gesellschaftsschichten durch die gute Aristokratie, deren Erscheinung nach dem Ideal der ‚Stein'zeit gezeichnet ist... Gehören aber beide Programme derart innerlich zusammen, daß jeweils nur eine Gewichtsverlagerung die Monarchie oder die Demokratie zum konstituierenden Faktor macht, so erklärt sich das aus einer politischen Einstellung von Troeltsch, in der prinzipiell liberal-demokratische und konservative Züge nur vereint als Leitbild gelten, während er nach den politischen Umständen bald den einen, bald den anderen Typ gutheißen bzw. bevorzugen kann" (203f).

mus, indem es „auf die nationalistische Vaterlandsliebe die höheren sittlichen Gedanken des Dienstes des Staates für die ideale Welt, des Wertes der Persönlichkeit und der Fügung in natürliche geschichtliche Ordnungen aufpfropft" (41). Darin manifestiert sich dann aber nicht eine christliche Staatsverachtung, sondern der Versuch, einerseits den genuin religiösen Werten der Persönlichkeit und der Fügung in Gottes natürliche Ordnung eine Gestalt politischer Verwirklichung zu schaffen und andererseits eben damit auch das „für den Staat ... wahrhaft Nützliche" zu tun (41). Letzteres weist Troeltsch damit aus, daß „die Vereinigung des liberal-demokratischen und des konservativen *Gedankens*" (43) auch unter dem Gesichtspunkt der politischen Lage in Deutschland erforderlich sei, da anders eine Versöhnung der sozialen Gegensätze nicht zu erreichen sei. Für ihre notwendige Versöhnung aber biete das Christentum mit der ihm eigenen Idee demokratisch und konservativ zugleich den „festesten Halt" und „tiefsten Gesinnungsgrund" (43).

10. Troeltschs Abgrenzung der christlichen Ethik von einer prinzipiell revolutionären Theorie und Praxis

Um Barths These, das Christentum sei prinzipiell revolutionär der aktuellen Problemsicht Troeltschs genau zuzuordnen, ist es noch nötig, Troeltschs Anschauung der prinzipiell revolutionären Position zu kennzeichnen, die seiner Ansicht nach dem frühen Christentum gänzlich fern lag, die aber auch das neuzeitliche Christentum seiner Ansicht nach nicht einzunehmen vermag, ohne seine klassischen Grundlagen zu verlassen. In dem Abschnitt über konservative und revolutionäre Elemente im Christentum in seinen „Soziallehren" weist Troeltsch auf seinen Vortrag über „Politische Ethik und Christentum" von 1904 nicht allein darum zurück, weil er dort den nur relativ konservativen Charakter der christlichen Ethik für die Gegenwart dargetan hatte, sondern auch, weil er dort die christliche Ethik von einer prinzipiell revolutionären Position abgegrenzt hatte (GS I, 76). In seinen „Soziallehren" schreibt Troeltsch zu dieser Abgrenzung: „Eine prinzipiell revolutionäre Neigung wird nur auf dem Boden des abstrakten Rationalismus möglich sein, der vom Subjekt und seiner allgemeinen Vernunfteinsicht her das Rationelle herstellt und das Göttliche nur in der Allgemeinheit der Vernunfteinsicht anerkennt, aber nicht im irrationalen Lauf der vom Subjekt nicht beherrschbaren Dinge. Daher ist auch erst der moderne Rationalismus der Boden einer prinzipiell revolutionären Theorie und Praxis, des Aufbaus der Gesellschaft auf Forderungen der Vernunft"

(GS I, 76). Der moderne Rationalismus kennt eine Ergebung in Gottes natürliche Weltordnung nicht, weil er keine Ergebung in die „vom Subjekt nicht beherrschbaren Dinge" gelten läßt. Von den Folgen dieser prinzipiell revolutionären Position spricht Troeltsch besonders deutlich am Schluß seiner „Soziallehren", wo seine Darstellung die Gegenwart erreicht. Der „moderne Rationalismus", der den „Boden einer prinzipiell revolutionären Theorie und Praxis" gelegt hat (76), prägt nach Troeltsch seit dem 18. Jahrhundert ganz allgemein die politischen und sozialen Gegebenheiten, mit denen sich die christliche Sozialphilosophie auseinanderzusetzen hat. Dieser Rationalismus hat nach Troeltsch gegenüber der soziologischen Idee und Wirkung des Evangeliums „ein neues soziologisches Grundschema des rationalistischen Individualismus geschaffen, das mit den älteren Ideen des christlichen Individualismus zwar zusammenhängt, aber durch den optimistischen und egalitären Geist ihm wiederum scharf gegenübersteht" (GS I, 965). Die „moderne Bourgoisie, das Naturrecht, die Emanzipation des vierten Standes und schließlich der wissenschaftliche Rationalismus" sind seine tragenden Kräfte (965). Dieses dem Christentum gegenüber neue soziologische Grundschema gewinnt nach Troeltsch in der Gegenwart zunehmend an Bedeutung sowohl in der kapitalistischen Wirtschaftsordnung als auch in den bürokratischen Militärstaaten. Wie das Christentum mit dem relativ konservativen Charakter seiner Ethik die „ethisch gefährlichen Folgen" des darin gestalteten modernen Lebens werde bemeistern können, ist nach Troeltsch daher die Hauptfrage, vor die das Christentum in der modernen Welt gestellt ist (984f). Da es darauf nach Troeltsch bisher keine lösende Antwort gefunden hat, die allgemeine Sozialtheorie vielmehr „die Sozialphilosophie der Kirchen weit überholt hat" (959), diagnostiziert Troeltsch diese Konstellation als „Krisis der bisherigen christlichen Ethik" (976) und konstatiert: „Soll es eine christlich-soziale Bemeisterung der Lage geben, so werden hier neue Gedanken nötig sein, die noch nicht gedacht sind" (985).

11. Barths Radikalismus

Unter der Voraussetzung, daß Barth mit seiner Auslegung von Röm 13 eine gegenwärtig verbindliche Verhältnisbestimmung von Christentum und Staat zu geben versucht, die dem gegenwärtigen Problemstand des Christentums entspricht, ist nun der aktuelle Sinn seines Einspruchs gegen Troeltsch näher zu entfalten in dem Sinne, daß Barths eigene These, das Christentum sei prinzipiell revolutionär, in Bezug gesetzt wird zu Troeltschs historisch vermittelnder Darstellung der gegenwärtigen Problemlage des Christentums. Barth wendet sich, wie oben hergeleitet wurde, bei seiner Zitation Troeltschs dagegen, daß die konservative Haltung des Christentums nach Troeltsch nicht allein auf Verachtung beruhte, sondern auf einer „Mischung von Verachtung, Ergebung und relativer Anerkennung". Er selbst möchte die konservative Haltung des Christentums dem Staat gegenüber allein durch „radikale Verachtung" bestimmt wissen (s. 72). Vor dem Hintergrund des von Troeltsch entwickelten Zusammenhangs scheint Barth damit eine Haltung für das Christentum verbindlich machen zu wollen, die Troeltsch im neuzeitlichen Christentum gerade für überwunden hielt: jene Haltung, in der sich das Christentum in Verachtung der Institutionen jenseits der politisch-sozialen Bildungen stellte und eben hierdurch zerstörerisch wirkte, weil es trotz der konservativen Haltung, die es dabei äußerlich einnahm, doch die Seelen den Idealen des Staates entfremdete. Die „Kontinuität zwischen den allgemeinen politisch-wirtschaftlich-sozialen Zuständen und den Werten des persönlichen Lebens", die nach Troeltsch das Christentum vom Calvinismus an in den modernen Konfessionen herzustellen versucht, scheint von Barth nicht mehr angestrebt zu werden, indem er die Haltung des Christentums (wieder) alleine durch Verachtung bestimmt sein läßt. Indes, das ist nur scheinbar der Fall. Der weitere Umgang mit dem Troeltschzitat in seiner Auslegung von Röm 13 zeigt, daß gerade die rein religiöse Position des Christentums, in der es jenseits des Staates steht und die Seelen seinen Idealen entfremdet und ihn verachtet, weil es den höchsten Lebenswert im Christus realisiert findet, unmittelbar als politische Position begreift. Barth läßt unwidersprochen, was Troeltsch über die Verachtung der Institutionen durch das Christentum sagt, daß sie nämlich eine konservative Haltung ihnen gegenüber zur Folge hatte. Eben diese auf Verachtung beruhende konservative Haltung, in der sich die Christen den bestehenden obrigkeitlichen Gewalten äußerlich unterziehen, wird nun aber von Barth strikte als Ausdruck der Überlegenheit über den Staat gedeutet und als eine auch gegenwärtig von den Christen einzunehmende Haltung gefordert. Im Anschluß an das Troeltschzitat und seine eigene These, das Christentum sei prinzipiell revolutionär, fährt Barth fort: „‚... *indem es die Seelen seinen Idealen entfremdete!*‘ Gerade *darum* sage ich euch: ‚Jedermann unterziehe sich persönlich den obrigkeitlichen Gewalten‘ (13,1). Ihr könnt und ihr müßt das tun: wiederum um eurer *Überlegenheit* willen. Im Christus anerkennt ihr die Hoheit des Staates nicht, vielmehr ist sie für euch jetzt schon gestürzt" (378f). Ist die konservative Haltung des

Christentums aber als Ausdruck der Verachtung des Staates zugleich Ausdruck der Überlegenheit über ihn, dann kann die „Entfremdung der Seelen", die für Troeltsch Ausdruck der rein religiösen Orientierung des Christentums und seiner Interesselosigkeit am Staat war, sogar als eine Form revolutionärer Praxis begriffen werden. In nochmaliger Aufnahme des Troeltschzitates schreibt Barth: „Der Staat aber mag sich mit seinen Sklaven und Verehrern dabei beruhigen, daß wir ihm vorläufig *nur* die Seelen entfremden. Sollte er einst die Gefährlichkeit *dieser* Revolutionsmethode erkennen, dann wird's immer noch Zeit sein, uns als Märtyrer zu bewähren" (390f). Hatte Troeltsch für das vorneuzeitliche Christentum lediglich einen tatsächlichen Zusammenhang zwischen der rein religiösen Orientierung des Christentums, der daraus folgenden konservativen Haltung einerseits und der revolutionären Wirkung solcher auf Verachtung beruhenden konservativen Haltung andererseits festgestellt, so wird von Barth dieser Zusammenhang in die Intention des Christentums selbst verlegt. Daß das Christentum „trotz aller Unterwürfigkeit den römischen Staat zerstört [sc. hat], indem es die Seelen seinen Idealen entfremdete", wird von Barth dahin gewendet, daß das Christentum mit der „Entfremdung der Seelen" eine „Revolutionsmethode" verfolgt. Mit dieser Wendung aber nimmt Barth den von Troeltsch als neuzeitlich indizierten Bewußtseinszustand des Christentums auf. Indem er die „Entfremdung der Seelen" als „Revolutionsmethode" interpretiert, setzt Barth den Staat nicht einfach beiseite, sondern sieht seine Gestaltung als legitime Aufgabe des Christentums an. Freilich möchte Barth dieses neuzeitliche Interesse an der Gestaltung des Staates nicht durch dessen Umgestaltung wahrgenommen wissen, die ja immer auch eine relative Anerkennung des bestehenden impliziert, sondern durch die Revolutionierung des Staates, die aufs Ganze geht: Das Christentum „ist prinzipiell revolutionär, indem es die Voraussetzung des Staates: die Gewalt des Bösen und damit sein Wesen: die böse Gewalt in Frage stellt" (378).
Hatte Troeltsch den relativ konservativen Charakter der christlichen Ethik von einer prinzipiell revolutionären Position dadurch abgesetzt, daß das Christentum „den Machtverhältnissen und Unterschieden gegenüber immer einen konservativen Zug der Fügung und Ergebung" haben werde, sofern es in ihnen „den prädestinierenden und Unterschiede setzenden göttlichen Willen" anerkennt (GS I, 76), so läßt Barth parallel zu seiner Identifikation des Christentums als „prinzipiell revolutionär" auch diese relativ konservative Sicht des Staates hinter sich. Er identifiziert ihn nicht als eine „göttliche Ordnung und Setzung", sondern als ein Produkt menschlicher Tätigkeit. Die „Voraussetzung des Staates: die Gewalt des Bösen"

(378) wird von ihm identifiziert als „Wille des Menschen", der, weil er „gottentfremdet (...)" ist, als „böse" bezeichnet wird: „Hat das Böse, nämlich der gottentfremdete Wille des Menschen, die Gewalt auf Erden, so kann auch alle Gewalt, heiße sie wie sie wolle, die nicht aus einer neuen Einigung des Menschen mit Gott hervorgegangen ist (Matth 7,29), nur böse sein" (376). Der „gottentfremdete Wille des Menschen", der als „Gewalt des Bösen" die „Voraussetzung des Staates" bildet, qualifiziert als solcher nach Barth dann aber auch das „Wesen" des Staates als „böse Gewalt". Obwohl Barth schreiben kann: „Der Machtstaat der Gegenwart ... ist an sich böse" (376), gewinnt diese Aussage ihre theologische Bestimmtheit doch erst darin, daß er fortfährt: „Aber eben als eine augenfällige Erscheinung des negativen Verhältnisses der Menschheit zu ihrem göttlichen Ursprung" (376). Gegenüber Troeltschs Bestimmung des Staates ist damit eine doppelte Veränderung festzustellen. Der Staat wird von Barth einmal auf den Menschen als Subjekt seiner Hervorbringung zurückgeführt[165], zum andern wird er gerade in dieser Beziehung einer radikalen Kritik unterworfen. Er beruht auf der „Gewalt des Bösen" und ist darum selbst böse Gewalt. Die Position von der aus diese radikale Kritik am Staat möglich und als Revolutionierung des Staates auch praktische Wirklichkeit wird, bezeichnet Barth im Christentum: „Es ist prinzipiell revolutionär, indem es die Voraussetzung des Staates: die Gewalt des Bösen und damit sein Wesen: die böse Gewalt in Frage stellt." Diese prinzipiell revolutionäre Position hat das Christentum inne, weil in ihm „durch den stillen jenseitigen Aufbau eines neuen Menschenwesens nach der Ordnung Gottes" (388) die in Christus eröffnete neue „Einigung des Menschen mit Gott" (376) realisiert ist und das Christentum auf Grund solcher Gotteinigkeit gegenüber der Gewalt des Bösen, die in dem gottentfremdeten Willen der Menschen besteht, die „eigene Gewalt des Guten" auf der Erde (380, vgl. 378) repräsentiert, in der die Gewalt des Bösen aufgehoben ist.
Troeltsch schrieb: „Eine prinzipiell revolutionäre Neigung wird nur auf dem Boden des abstrakten Rationalismus möglich sein, der vom Subjekt und seiner allgemeinen Vernunfteinsicht her das Rationelle herstellt und das Göttliche nur in der Allgemeinheit der Vernunft-

---

165 Ähnlich wie Barth radikalisiert Bultmann das Wirklichkeitsproblem, wenn er 1928, wohl im Rückgriff auf GS I, 153 schreibt: „Welt ist im Sinne des Christentums, wie *Ernst Troeltsch* es formuliert hat, *ein politisch-sozial-historischer* Begriff; dh. Welt ist die Gesamtheit dessen, was Menschen geschaffen haben und was jeden einzelnen Menschen umfängt, ihm die Motive seines Handelns und Maßstäbe seines Urteils, die Sicherheit seines Lebensgefühls gibt... Besser also noch: Welt ist ein *anthropologischer* Begriff (Bultmann, Urchristentum und Staat, 3).

einsicht anerkennt, aber nicht im irrationalen Lauf der vom Subjekt nicht beherrschbaren Dinge" (GS I, 76). Vor diesem Hintergrund läßt sich von Barth sagen, daß er diese prinzipiell revolutionäre Position des abstrakten Rationalismus in kritischer Aufnahme seines Anspruchs noch einmal in der Definition des Christentums als gotteiniges Subjekt theologisch überbietet. Er akzeptiert, daß nur vom Subjekt und seiner allgemeinen Vernunfteinsicht her das Rationelle hergestellt wird und daß das Göttliche nur in der Allgemeinheit der Vernunfteinsicht anzuerkennen ist, aber nicht im irrationalen Lauf der vom Subjekt nicht beherrschbaren Dinge. Seine Bestimmung des Christentums als „prinzipiell revolutionär" überbietet aber diese Position des abstrakten Rationalismus noch einmal, indem sie — ihn immanent kritisierend —, feststellt, daß die Vernunfteinsicht nur dann das Rationelle herstellt, so daß in ihren Hervorbringungen das Göttliche anzuerkennen wäre, wenn sie auch von einem solchen Subjekt vertreten würde, das die Allgemeinheit der Vernunfteinsicht wirklich zu gewährleisten vermöchte. Das aber ist Barths Vorwurf, daß in der Politik nicht dieses allgemeine Subjekt handelt, sondern ein „Aufruhr losgelassener herrenloser Kräfte" herrscht (Röm1, 378). Ihnen gegenüber bildet das Christentum in der im Christus eröffneten neuen Einigung des Menschen mit Gott das gotteigene und darin allgemeine Subjekt aus, das die Aufhebung aller bloßen Einzelsubjekte ist, die den bestehenden Staat und die Politik konstituieren. Die von Troeltsch bezeichnete „Krise der bisherigen christlichen Ethik" (GS I, 976) ist damit von Barth durch die Redefinition des Christentums als gotteiniges und darum allgemeines Subjekt überwunden. Das Christentum steht nach Barth in der modernen Welt nicht mit einer relativ konservativen Ethik einer prinzipiell revolutionären Position gegenüber, sondern es selbst hat die Position inne, auf der eine prinzipiell revolutionäre Theorie und Praxis überhaupt erst möglich ist. Barths Charakteristik des Christentums als „prinzipiell revolutionär" gründet sich auf seiner Bestimmung des Christentums als im Christus gotteiniges Subjekt. Er trifft darin mit Troeltsch in der Hinsicht zusammen, daß nach Troeltsch das christliche Selbstbewußtsein durch das „Berufensein des Menschen zur Gottesgemeinschaft"(GS I, 39) bestimmt ist. Während Troeltsch aber historisch feststellt, daß das daraus folgende „an sich völlig radikale und revolutionäre Prinzip des unbedingten Individualismus und Universalismus" (72) wegen seines genuin religiösen Charakters in sozialer Hinsicht vom Christentum nicht unmittelbar in Anwendung gebracht wird, erfaßt Barth in der Berufung der Christen zur Gottesgemeinschaft die Konstituierung einer unmittelbar politisch wirksamen Gewalt. Troeltsch beschreibt als geschichtliches Faktum, daß sich das Christentum als „selbständige (...) Religionsgemeinschaft" und damit als partikulares Subjekt gestaltete, die unbedingte Durchführung des Universalismus aber auf Gott zurückschob, während es für sich unter dem prädestinatianischen Gedanken die einmal bestehenden Ungleichheiten der Heilsverwirklichung, einschließlich ihrer sozialen Derivate, als göttliche Setzung oder Zulassung hinnahm. Dem gegenüber versucht Barth im Blick auf das im Christentum präsente Bewußtsein der Gottesgemeinschaft, das Christentum selbst als allgemeines Subjekt zu denken, das kraft seiner Gotteinigkeit das „völlig radikale und revolutionäre Prinzip des unbedingten Individualismus und Universalismus" in seiner eigenen Tätigkeit realisiert. Barths Rückgriff auf die nach Troeltschs Terminologie „rein religiöse" Bestimmung des Christentums stellt dann aber zugleich die unbedingte Durchführung des neuzeitlichen Interesses des Christentums dar, das sich nicht mehr in einer religiös-kultischen Sphäre separiert von den politisch-sozialen Bildungen, sondern in diesen zu gestalten sucht. Weil Troeltsch das Christentum als historisch partikulares Subjekt betrachtet, ist seinem Urteil nach eine unbedingte Verwirklichung dieses Interesses nicht möglich. Das Christentum wird sich in der Geschichte nach Troeltsch vielmehr immer „mit anderen Bauherren zu teilen haben und gleich diesen an die Besonderheiten des Bodens und Materials gebunden sein" (GS I, 966). Daher gibt es auch nach Troeltsch „keine absolute Ethisierung sondern nur das Ringen mit der materiellen und der menschlichen Natur" (986). Jede christliche Ethik wird in sich „eine Anpassung an die Lage" sein und kann „nur das Mögliche" wollen (986). Seinen „eigentlichen idealen Willen" zu verwirklichen, in dem es das „Reich Gottes auf Erden" verwirklicht, wird dagegen das Christentum „so wenig schaffen als irgend eine andere Macht der Erde" (985). Das der Berufung zur Gottesgemeinschaft entsprechende Ethos der „Selbstheiligung für Gott" und der „Bruderliebe, die in Gott alle Spannungen und Härten des Kampfes, des Rechtes, der bloß äußerlichen Ordnung auflöst und die Seelen zu innigstem Verstehen wie zu opferwilligster Liebe verbindet", stellt nach Troeltsch ein Ideal dar, „das zu seiner vollen Durchführung eine neue Welt verlangt" (973). Einer neuen Welt aber ist das Christentum als geschichtliches Subjekt nicht mächtig. Für Barth dagegen ist gerade diese Herstellung der neuen Welt, in der das christliche Ethos unbedingt verwirklicht wird, der einzig legitime Inhalt und das einzig legitime Ziel christlicher Praxis. Er schreibt über „den stillen jenseitigen Aufbau eines neuen Menschenwesens nach der Ordnung Gottes, in welchem die Liebe die Pflicht ablösen wird und mit dessen

Vollendung und einstiger Enthüllung die jetzigen Ordnungen von selbst dahinfallen werden". „Für diesen Aufbau ‚im Verborgenen der Menschen' seid ihr verantwortlich, da seid ihr an eurer Sache und Arbeit" (Röm1, 388). Dieser Aufbau eines neuen Menschenwesens nach der Ordnung Gottes ist dann insofern identisch mit dem Aufbau einer neuen Welt, als der jetzige Staat, der auf dem gottentfremdeten bösen Willen der Menschen beruht, mit den Subjekten seiner Hervorbringung in das neue Menschenwesen nach der Ordnung Gottes eingeht und in diesem aufgehoben wird[166]. Es muß sich, schreibt Barth, „das große Werk des Aufbaus einer neuen Welt, das sich wohl in Stürmen und Katastrophen äußern kann, innerlich und sachlich ... durch ein stilles gemeinsames Sichgewöhnen aller Menschen (im Christus!) an die göttliche Atmosphäre, durch ein gemeinsames Heimischwerden in den göttlichen Ordnungen ... vollziehen". Indem das Christentum den Aufbau des neuen Menschenwesens betreibt, realisiert es sein Ethos der Selbstheiligung für Gott und der Bruderliebe, die alle bloß äußerliche Ordnungen auflöst, in unbedingter Weise, und verwirklicht sich so in seinem geschichtlichen Handeln als gotteseiniges, allgemeines Subjekt. Es ist prinzipiell revolutionär, weil es als Subjekt der neuen Welt fungiert[167].

12. Die dem prinzipiell revolutionären Charakter des Christentums entsprechende christliche Praxis nach Barth

Barths Charakteristik des Christentums als „prinzipiell revolutionär" gründet sich auf seiner Bestimmung des Christentums als gotteiniges Subjekt. Unter dieser Bestimmung hat es nach Barth trotz seiner geschichtlichen Partikularität den Standpunkt des allgemei-

---

166 In seiner Auslegung von Röm 8,19—22 führt Barth auch die Widerständigkeit der materiellen Natur auf den gottentfremdeten Willen des Menschen zurück: „Die sinnlose Massivität und Brutalität des Naturgeschehens ist nur das Spiegelbild des Titanentrotzes, mit dem sich der Mensch seinem göttlichen Ursprung entgegenstellt... Das Fremde im Kosmos ist primär unser eigenes Werk" (Röm1, 243). Dieser Widerständigkeit der Natur gegenüber gilt von den Christen: „Kraft der Auferstehung des Messias sind *wir* es, denen die Lösung der Welträtsel anvertraut ist" (aaO. 246).
167 Kirsch merkt zu Barths erstem Römerbrief an: Barth transformiere im Horizont der Eschatologie die Prädikate des göttlichen Subjekts in solche des gläubigen Menschen (Kirsch, Zum Problem der Ethik, 110). Diese Transformation ist möglich wegen einer im Christusleib gedachten wesenhaften Einheit von Gott und Mensch. Bultmann, der in seinem Aufsatz über „Ethische und mystische Religion im Urchristentum" von 1920 Barths „religiöse Kulturkritik" begrüßt, kann „in dem Positiven, das er bringt" nicht anderes sehen „als eine willkürliche Zustutzung des paulinischen Christusmythos" (Anfänge II, 43).

nen Subjekts zu vertreten, da es sich nur so als es selbst, nämlich als gotteiniges Subjekt verwirklichen kann. „Das Christentum eignet sich nicht zu einer Kampfparole neben andern: es hebt alle andern auf, indem es sie in sich schließt", schreibt Barth. „Träte es als besondere Partei auf gleichem Fuß dem Staat gegenüber (‚Christus gegen Caesar'), so würde es seiner originellen Dynamik verlustig gehen" (379). Für die Christen gilt die Aufforderung: „Durch die im Christus eröffnete neue Einigung des Menschen mit Gott soll das Gute wieder zu einer *eigenen* Gewalt werden auf Erden und keine äußere relative Notwendigkeit des Augenblicks soll euch ablenken von eurer Aufgabe, diese *eigene* Gewalt des Guten zu erhalten und zu stärken" (378). Christliche Praxis besteht danach aber darin, das Bewußtsein der Gotteinigkeit praktisch werden zu lassen und so das Christentum als gotteiniges Subjekt zu verwirklichen. In dieser Beziehung unterscheidet Barth in seiner Auslegung von Röm 12,3—13,10 ein Handeln der Christen untereinander (12,3—12, 16b) und ein Handeln der Christen nach außen (12,16c—13,10)[168]. Das Handeln der Christen untereinander qualifiziert er dadurch, daß „jeder dem Ganzen sich willig und völlig hingibt" (368). Die sprachliche Gestalt dieses Handelns ist die Ermahnung, die Barth kennzeichnet als „das Aussprechen der Tatsache einer gemeinsamen Bewegung, durch welche sich die Bewegung von einem Augenblick zum andern in Bewegung *erhalten* möchte, wobei also der Sprecher nur zufällig der Sprecher, sondern eigentlich die bewegte Gemeinschaft, das redende Subjekt ist"[169]. Hier verwirklicht das Christentum sich als gotteiniges Subjekt, indem das Tun jedes Einzelnen vollständiger Ausdruck der Gemeinschaft ist, der er angehört und die er realisiert, indem er sich als ihr Angehöriger verhält. Nicht nur um die Erhaltung der Bewegung der sich handelnd realisierenden Gottesgemeinschaft, sondern um ihren Aufbau zur geschichtlichen Allgemeinheit geht es im Handeln der Christen gegenüber Außenstehenden. Dieses Handeln kann „zwar keinen anderen Inhalt" haben, soll es christliches Handeln sein, aber es hat „andere Bedeutung" (368): „Hier", schreibt Barth, „muß die Gemeinschaft erst gesucht und geschaffen werden" (368). In dem Versuch, sich in der Begegnung mit Außenstehenden als gotteiniges Subjekt zu realisieren, wird dann aber die Spannung unübersehbar manifest, daß sich die Christen zwar im Christus als

---

168 Barth nimmt diese Gliederung S. 368 vor und begründet sie in der Auslegung von Röm 12,1f S. 346ff.
169 Röm[1], 347, vgl. Barths Auslegung von Röm 12,1f. Dazu Kirsch, 80f.

gotteiniges und darum allgemeines Subjekt wissen, daß sie es in der geschichtlichen Wirklichkeit aber doch nicht sind. Barths Bemühungen zielen nun darauf, diese Differenz als im Handeln der Christen überwindbar darzustellen. Das geschieht zunächst einmal dadurch, daß Barth die vorher gemachte Unterscheidung von Innen- und Außenstehenden im Blick auf die von den Christen wahrzunehmende Bestimmung, tatsächlich das allgemeine Subjekt zu sein, im Blick auf ihr Selbstbewußtsein wieder rückgängig macht. Barth schreibt: „... ein anderes Sein und Wesen hat in euch angefangen, durch das ihr zunächst von den meisten Menschen ausgesondert (12,2), ja in feindlichen Gegensatz zu ihnen gestellt werdet... Aber gerade das ‚Feindliche‘, ‚Gegnerische‘ an diesem Gegensatz kann nur von den andern real, von euch aber nur parabolisch gemeint sein. Ihr könnt wohl *ihre* ‚Feinde‘ sein..., nicht aber sie *eure* Feinde! Ihr könnt wohl als Partei dastehen in ihren Augen..., ihr könnt aber die andern nicht als gegen euch gescharte Partei auffassen, ernst nehmen, bezeichnen und behandeln“ (369). Barth rekurriert auf das Selbstbewußtsein der Christen, im Christus das allgemeine Subjekt tatsächlich zu sein, wenn er feststellt: „... ihr dürft im Zusammentreffen und vielleicht Zusammenstoßen mit den jetzt noch Fremden nicht selber fremd werden, ihr müßt um *Gottes* Willen die *Überlegenen* sein und bleiben“ (368). Damit ist freilich erst eine Regel aufgestellt, aber noch nicht gesagt, wie diese Überlegenheit nun auch praktisch von den Christen gewahrt wird, wie also in ihrem Handeln realisiert werden kann, daß der Gegensatz, in dem sie sich zu den „noch Fremden“ befinden, von ihnen „nur parabolisch gemeint“ ist (368). Barth geht darauf ein, indem er eine „überlegene Methode“ des christlichen Handelns (375) entwirft und sie absetzt von „den Methoden der bestehenden Welt“ (373). „*Eure Methode*“, schreibt Barth, „ist ... die Solidarität mit dem ‚Feinde‘“ (373). Was das meint, präzisiert er in der Ermahnung: „Mach's niemandem recht, aber mach's jedem besser, wenn du kannst“ (374). Weil das allgemeine Subjekt nicht den Eigensinn der sich gegen es behauptenden Subjektivität bestätigen kann, ohne seine Allgemeinheit einzubüßen, ermahnt Barth die Christen im Blick auf den noch Außenstehenden: „Mach's niemandem recht.“ Doch würde das allgemeine Subjekt sich gleichfalls selbst diskreditieren, wollte es die einzelne Subjektivität, die noch nicht in Gemeinschaft mit ihm steht, vernichten. Die Allgemeinheit des allgemeinen Subjekts kann der einzelnen Subjektivität gegenüber nur darin realisiert werden, daß das allgemeine Subjekt jedem einzelnen Subjekt zu der allgemeinen Bedeutung verhilft, die das einzelne Subjekt in seinem Eigensinn zwar behaupten, unter dem Gegensatz, in dem es sich durch seinen Eigensinn den andern Subjekten gegenüber befindet, aber nicht haben kann. Die Aufforderung: „Mach's niemandem recht", ergänzt Barth daher mit der Aufforderung: „aber mach's jedem besser" (374). Diese Aufforderung hat ihre Spitze nun aber gerade nicht in einem gegenständlich anzugebenden und zu verwirklichenden Inhalt, den die Christen für den noch Fremden handelnd realisieren sollen, sondern allein darin, daß die Christen „von außen nach innen, durch die harte Schale der äußerlich gegebenen Situation" (368) in das Bewußtsein des noch Außenstehenden (368) die Erkenntnis hineintragen, daß er seine Verwirklichung nicht in eigensinniger Selbstbehauptung, sondern allein in Einheit mit dem allgemeinen Subjekt hat. Darin erst kommt das Christentum als gotteiniges Subjekt handelnd zu seinem Ziel, daß von ihm in seiner Tätigkeit auch für den noch Fremden „Gemeinschaft ... gesucht und geschaffen" wird (368), so daß dieser in die „neue Einigung des Menschen mit Gott" aufgenommen ist. Barth stellt seine an den einzelnen Christen gerichtete Aufforderung: „Mach's niemandem Recht, aber mach's jedem besser" unter die Bedingung: „wenn du kannst". Er hebt damit auf das Vermögen des einzelnen Christen ab, als Einzelner als allgemeines Subjekt zu handeln. Da nur im Blick auf die Allgemeinheit des allgemeinen Subjekts der Fremde kein Fremder mehr ist, kann der einzelne Christ nur dann als allgemeines Subjekt handeln, wenn er, obwohl ein Einzelner, doch die Allgemeinheit des allgemeinen Subjekts realisieren kann. Nun ist nach Barth zwar jedes Glied des Christusleibes fähig, „in sich vollendet je das Ganze (zu) repräsentieren und (zu) charakterisieren" (357), so daß er schreiben kann: „Seid ihr erlöst von der fluchbringenden Vereinzelung des Individuums zum organischen Sein im Zusammenhang der im Christus erschienenen neuen Menschheit, so seid ihr nun auch als Individuen Träger des Lebens des Christus" (229), doch konstatiert er auch: „Die Bewegung aber wird nicht vom Einzelnen als solchen, sondern von der Christusgemeinschaft getragen" (356)[170]. Aus dieser doppelten Betrachtung ergibt sich dann aber für den einzelnen Christen, der einerseits „als Individuum Träger des Lebens des Christus" ist, andererseits doch nicht unmittelbar „die Christusgemeinschaft" selbst ist, daß sein Vermögen, als Einzelner als allgemeines Subjekt zu handeln, bedingt ist. Der Einzelne müßte sich als „Träger des Lebens des Christus" vollständig mediatisieren für die Tätigkeit der „Christus-

---

170 H.U. von Balthasar (Karl Barth, Darstellung und Deutung seiner Theologie, 1952²) konstatiert für Barths ersten Römerbrief eine Neigung zur Identifikation von Gott und Mensch. Dieses Moment wird hier als das theoretisch bedeutendste betrachtet.

gemeinschaft". Das aber kann er gerade als Einzelner nicht[171]. Diese Unausgeglichenheit zeigt sich in Barths Auslegung von Röm 13 im ersten Römerbrief etwa darin, daß Barth über „den stillen jenseitigen Aufbau eines neuen Menschenwesens nach der Ordnung Gottes" einmal schreiben kann: „Für diesen Aufbau ,im Verborgenen der Menschen' seid ihr verantwortlich" (388), dann aber doch über den „Sieg des Gottesreiches" ausführt: „Der kommt durch das, was Gott selbst in euch tut" (381). Einmal heißt es von der eigenen Gewalt des Guten auf Erden, sie sei „im Christus wirksam geworden ... und wolle in euch, seinen Gliedern, wachsen ... dem vollen Tag entgegen" (380), dann aber: Es ist *eure* (...) Aufgabe, diese *eigene* Gewalt des Guten zu erhalten und zu stärken (12,21)" (378). Weil die Allgemeinheit des allgemeinen Subjekts von den Christen nach Barth nur bedingt realisiert werden kann, die Gottesgemeinschaft unbedingt dagegen nur an Gott selbst erfaßt werden kann, expliziert er den Satz: „... wenn du kannst" mit dem andern: „Ja eben, wenn du *kannst,* wenn Gott dich dazu schon brauchen kann, wenn die Lichter der neuen Welt schon so mächtig sind in dir, daß du hindurchbrichst durch die Mauern der alten Welt, die deinen armen feindseligen Nächsten umgeben" (374). Das aber unterscheidet nun den ersten vom zweiten Römerbrief, daß Barth nicht dazu fortschreitet, Gott allein als den „unanschaulichen Einen in Allen" zu denken (Röm 2, 452), sondern daß er die Christen im Blick auf ihre Gotteinigkeit auch als einzelne Menschen als allgemeines Subjekt in Anspruch nehmen zu können meint, da in ihnen „die Lichter der neuen Welt schon ... mächtig sind". Im Blick auf die im Christus eröffnete neue Einigung des Menschen mit Gott, die im Christentum realisiert ist, kann er vielmehr sagen: „Die Sache Gottes ist nun auf uns gestellt" (395). Die Christen sollen „nicht irgend eine Bewegung vertreten, sondern in christlichem *Hoch*mut die Bewegung Gottes selbst" (368). Obwohl Menschen, sollen sie „das Göttliche göttlich vertreten" (387, vgl. 368, 371). Darin sind sie allen anderen Menschen überlegen, die das Göttliche nur menschlich zu vertreten versuchen und es darum verfehlen müssen. Indem die Christen selbst kraft ihrer Gotteinigkeit den Aufbau des allgemeinen Subjekts zu geschichtlicher Allgemeinheit betreiben, ist das Christentum „prinzipiell revolutionär".

---

171 Dieses Problem wird Barth erst 1919 scharf ins Auge fassen, indem er heraushebt: „Der Christ ist *der Christus.* Der Christ ist das in uns, was nicht wir sind, sondern Christus in uns" (Vorträge I, 34). In seinem ersten Römerbrief bleibt dieses Problem jedoch durch die organistische Vorstellung vom Christusleib verdeckt. Gegen sie als der „Behauptung eines organisch wachsenden göttlichen Seins und Habens im Menschen" wendet sich Barth im zweiten Römerbrief (Röm 2, 223).

13. Barths politische Ethik als zur Position gewendete Aporie der Ethik Troeltschs

Weil die Christen nur als das allgemeine Subjekt, das sie in ihrer Gottesgemeinschaft sind, als sie selbst handeln, kann Barth sie nicht mehr als Christen im Christus ansprechen und beschreiben, wo sie lediglich als partikulare Subjekte auftreten. Als *bloßen* Einzelnen geht ihnen die „Überlegenheit" ab, die sie als Glieder des Christusleibes auch als Einzelne gerade auszeichnet. „Ihr seid in solcher Lage nicht, was ihr seid", schreibt Barth, denn „von eurer Wahlgemeinschaft mit Gott aus kann es zu solchen *verfahrenen* Situationen nicht kommen" (371). „Ihr seid gewichen aus der Stellung, in die ihr gehört, diese Welt hat triumphiert über euch, ihr seid noch im Fleische, ihr steht nicht in der Kraft der Auferstehung, wenn ihr genötigt seid, zu streiten mit den Streitenden" (371). Handeln die Christen als *bloße* Einzelne, treten sie in Konkurrenz zu anderen Einzelnen und können ihre überlegene Methode, in der sie es keinem recht, aber jedem besser machen, nicht in Anschlag bringen. Sie handeln nicht in ihrer christlichen Identität. Das Handeln, das nicht Ausdruck der christlichen „Wahlgemeinschaft mit Gott" ist, ist dann aber dadurch charakterisierbar, daß die gegenständlichen Handlungsinhalte nicht mehr nur „Anlaß, Material und Übungsfeld" sind, an dem die Gottesgemeinschaft unbedingt verwirklicht wird, sondern daß sich die gegenständlichen Handlungsinhalte in diesem Handeln in ihrer „Eigenkraft" (383) behaupten und nicht aufgehoben werden in den „jenseitigen Zusammenhang" (379) des Aufbaus der neuen Welt. Als bloße Einzelne verwirklichen die Christen dann nicht sich selbst, sondern etwas. Der exemplarische Fall, in dem sich die Christen, wenn auch nicht prinzipiell, so doch generell in solcher verfahrenen Lage befinden, ist für Barth nun das politische Handeln[172].

Barth unterscheidet zwischen einem Handeln, wo die Christen „als Christen" und dh. von ihrer Wahlgemeinschaft mit Gott aus handeln und wo sie „als politische Menschen" handeln (Röm1, 383)[173]. Allge-

---

172 Barth übersetzt Röm 13,1: „Jedermann unterziehe sich persönlich den obrigkeitlichen Gewalten." Das politische Handeln ist eine rein persönliche Angelegenheit der bloßen Einzelnen und nicht der Einzelnen als Glieder des Christusleibes.

173 Diese an die Zwei-Reiche-Lehre gemahnende Unterscheidung wird von Barth nicht dahin ausgearbeitet, wie die Christen auch als politische Menschen mit gutem Gewissen handeln können. Als politische Menschen müssen sie vielmehr „ein schlechtes Gewissen" haben (382f, 388), wenn auch im Blick auf das den Christen wesentliche Tun das gute Gewissen über das schlechte triumphieren darf, da das christliche Tun im Gesamtprozeß christlicher und politischer Tätigkeit das einzig effektive ist (383).

mein gilt für die Beteiligung der Christen am politischen Leben:
„... eure Arbeit *als Christen* besteht in *keinem* Fall in solcher Anteilnahme" (381). „Ihr habt nur zu wachen über der Reinheit
eurer Methode und über der ungestörten Kontinuität des aus *ihr*
fließenden Tuns" (382). Handeln die Christen gleichwohl, was bei
dem eschatologischen Defizit ihrer Selbstverwirklichung unumgäng-
lich ist, als politische Menschen, so können sie darin zwar „eine wünschenswerte Eindämmung des Bösen durch sich selbst" (384) erzie-
len, doch steht über ihrem Handeln dann das gleiche Verdikt, wie über
allem Handeln bloßer Einzelner: „Durch das Böse wird das Böse in
diesem Äon bekämpft und besiegt" (376). In diesem Handeln wird
das Böse durch sich selbst eingedämmt, während für die Christen als
gotteiniges Subjekt nur in Betracht kommt, „das Böse ... durch das
Gute und nur durch das Gute zu besiegen" (373). Barth nimmt die
Christen nicht aus, wenn er schreibt: „*Alle* Politik ist als Kampf um
die Macht, als die teuflische Kunst der Majorisierung, *grund*schmut-
zig. Auch die edelste und reinste Gesinnung ihrer Träger verändert
die Widergöttlichkeit ihres *Wesens* nicht um ein Haar" (377). Hier
zeigt sich, wie Barth auf Grund seiner Definition des Christentums
als allgemeines Subjekt und der Konzipierung eines christlichen
Handlungsbegriffs, der den Aufbau des allgemeinen Subjekts zu
geschichtlicher Allgemeinheit zum Inhalt hat, alle Versuche als wi-
dergöttlich und unchristlich disqualifizieren muß, die eine Selbstgestaltung des Christentums so denken, daß dabei das Christentum
nur als ein Subjekt unter anderen in Anspruch genommen wird.
Die Widergöttlichkeit solcher Selbstgestaltungen ist damit gegeben,
daß in ihnen die Gottesgemeinschaft niemals unbedingt realisiert
wird. Wenn Troeltsch in seinem Vortrag über „Politische Ethik und
Christentum" einen Beitrag des Christentums zur politischen Ethik
formulierte, der als Inbegriff politischer Gesinnung fungieren sollte, so war dieser christliche Beitrag zur politischen Ethik trotz seines integrativen Gehaltes nicht der Konkurrenzsituation entnommen. Die politische Idee „demokratisch und konservativ zugleich"
blieb in Troeltschs Vorschlag, den Staat unter christlichen Geist
und Einfluß zu bringen, darauf angewiesen, daß er als Inbegriff
politischer Gesinnung individuell angeeignet und gegen andere Positionen durchgesetzt würde. Barths Ausführungen zu Röm 13 stehen darum in systematischer Hinsicht nicht deswegen in einem Gegensatz zu Troeltschs Ausführungen zur politischen Ethik, weil die
Gesinnung „demokratisch und konservativ zugleich" in politischer
Hinsicht radikaler gefaßt werden müßte, um im Sinne Barths als
christlich gelten zu können, sondern weil keine Gesinnung als solche das einzelne Subjekt über seinen individuellen Standpunkt auf

den des allgemeinen Subjekts erheben kann. Barth wendet sich nicht gegen das individuell Böse in der politischen Praxis, sondern gegen das bloß Individuelle als Böses, wenn er schreibt: „Denn der Vorwitz des Einzelnen, und wäre es auch der geistige, moralische, religiöse Vorwitz, *ist* die Gewalt des Bösen, gibt der bösen Gewalt, dem Prinzip des Staates, *Recht* und wird ihrer nicht einmal selber auf die Länge entraten können, so rein seine Ideen und Ziele und Gesinnungen sein mögen. Der Einzelne, der sich, konservativ oder revolutionär, im Ernst mit dem Staate einläßt, wird vom Bösen besiegt, weil er sich ihm eben durch seine Vereinzelung schon *vor* dem Kampfe verkauft hat (7,14f)" (380). Die Christen, die im Christus als das allgemeine Subjekt angetreten sind, die „*eigene* Gewalt des Guten zu erhalten und zu stärken" (378), indem sie das allgemeine Subjekt zu geschichtlicher Allgemeinheit aufbauen und damit „Vorarbeit leisten für die endliche Aufhebung des Bösen in einer neuen Welt" (385), können daher schlechterdings nicht „den Sieg des Guten ... von irgendwelchen noch so großen Erfolgen auf dem natürlichen Gebiet des Bösen" erwarten. Sie dürfen „als Christen" politisch nichts Gutes erwarten[174]. Für die Christen tritt unter dem ihnen eigentümlichen Gesichtspunkt vielmehr alles politische Handeln als Ausdruck konkurrierender Selbstdurchsetzungsversuche in eine negativ qualifizierte Indifferenz: „Die Fragestellungen, die zwischen Nero und dem Pöbel, die zwischen Deutschland und England, die zwischen der bürgerlichen und der proletarischen Klasse bestehen *müssen"*, schreibt Barth, „*können* für euch nicht bestehen" (378). „Ob ihr nun für oder gegen Nero auftretet, ob ihr zu der Fahne des ‚alten Gottes' der Hohenzollern schwört oder zu der des englisch-amerikanischen (deutero-calvinistischen!) Demokratengottes, ob ihr die bürgerliche Gesellschaftsklasse schützen oder stürzen wollt, ihr lauft damit auf alle Fälle in das gefährliche Gebiet der Anordnung Gottes hinein, kraft welcher die böse obrigkeitliche Gewalt gebraucht wird, um das Böse zu strafen" (382)[175].

---

174 Vgl. Barths Kritik jeder christlichen Politik, 334—387.
175 Der materialethischen Aussage, die Christen könnten sich „schwerlich anderswohin stellen ... als auf die äußerste Linke", verweigert Barth eine theologische Begründung. „Maß" und „Art" der „Anteilnahme an der Gestaltung des politischen Lebens" ergibt sich nach Barth vielmehr nach „Maßgabe der Umstände", die für Barth ihre eigene, ethische Evidenz haben (381). Gegen Marquardt, Theologie und Sozialismus, 135 vgl. auch Wielenga, Lenins Weg zur Revolution, 434 und Gollwitzer, Krummes Holz, aufrechter Gang, 1971³, 206. Kirsch stellt mE. zurecht fest: „So sieht sich Barth ... nicht in der Lage, die für alle ‚linke' Ethik grundlegende Unterscheidung zwischen ‚rechter' und ‚linker' Gewalt, zwischen der Gewalt der Unterdrückung durch die herrschende Klasse und der durch sie provozierten revolutionären Gegengewalt der Unterdrückten, theologisch zu legitimieren" (97).

Die politische Praxis in allen ihren Spielarten, die effektiv doch nur das Böse verwirklichen kann, ist nicht der unmittelbare Gegenstand von Barths Theoriebildung. Diese zielt vielmehr darauf, das dem Christentum eigene Selbstbewußtsein der Gotteinigkeit als es selbst zur Geltung zu bringen, so daß die Christen in ihrem Handeln tatsächlich ihre Verwirklichung finden. Unter diesem Gesichtspunkt ist, unbeschadet dessen, daß Barth Lenins Schrift „Staat und Revolution" bei seiner Auslegung von Röm 13 nicht gekannt hat, von einer „große(n) Strukturparallele" in Barths und Lenins Theoriebildung zu sprechen, wie es Marquardt getan hat (Marquardt, 129). Diese Strukturparallele wird gerade dort greifbar, wo Barth sich nach Marquardt „von Lenins Forderung nach einer ‚besonderen Repressionsgewalt' für das Proletariat" trennt und wo Marquardt feststellen muß: „Barth scheint also die Leninsche Übergangsphase der Diktatur des Proletariats einfach überspringen zu wollen" (134). Lenins Forderung nach einer „besonderen Repressionsgewalt für das Proletariat" hat in Lenins Revolutionstheorie in struktureller Hinsicht dieselbe Funktion, die das Überspringen der Übergangsphase der Diktatur des Proletariats in Barths Ausarbeitung des Christentums als allgemeines Subjekt hat. Beide Male soll die Allgemeinheit des allgemeinen Subjekts gesichert werden. Wenn Barth über die Christen schreibt: „Die Fragestellungen, ... die zwischen der bürgerlichen und der proletarischen Klasse bestehen *müssen, können* für euch nicht bestehen" (378), so hält er darin fest, daß das Christentum sich als allgemeines Subjekt nur dann entspricht, wenn es sich nicht als Partei begreift. Wenn Lenin für die Übergangsphase der Diktatur des Proletariats eine besondere Repressionsgewalt für das Proletariat fordert, geschieht aber in struktureller Hinsicht dasselbe, wenn anders das Proletariat in der Theorie des Klassenkampfes mit seiner eigenen Befreiung die Befreiung aller Menschen, einschließlich des Klassenfeindes, einleitet und insofern das allgemeine Subjekt darstellt. Als solches entspricht es sich gerade dadurch, daß es nach der revolutionären Eroberung der Macht die ihm eigene Allgemeinheit noch so lange mittels einer besonderen Repressionsgewalt behauptet, bis diese zunächst nur behauptete Allgemeinheit nach einer Übergangsphase zur tatsächlichen Allgemeinheit geworden ist. Das im Christentum verfolgte Programm ist aber dann nach einer Bemerkung Barths insofern „*mehr* als Leninismus" (379), als in ihm in vollständiger Konsequenz festgehalten ist, daß die böse Gewalt allein durch den geschichtlichen Aufbau des allgemeinen Subjekts aufgehoben werden kann, während der Leninismus dieses Ziel so verfolgt, daß er ein praktisches Abweichen von diesem Grundsatz im Klassenkampf und in der Diktatur des Proletariats einschließt.

Der aufs Ganze gehende Radikalismus Barths hat freilich zur Folge, daß die Ethik, sofern sie die Güte des Handelns nur einzelner Subjekte thematisiert, theologisch obsolet wird. Obwohl für die Christen gilt: „Sofern der alte Mensch, die alte Menschheit noch lebt, ... müßt ihr euch auch noch ethisch orientieren, müßt ihr mit einem Teil eures Wesens ... der Ethik ihren Tribut zollen" (388), gibt es nach Barth für die Christen doch unter dem ihnen als Christen wesentlichen Gesichtspunkt, dh. „unter dem *letzten* Gesichtspunkt, den ... (sie) im *Christus* einnehmen müssen, *keine Ethik*" (392, vgl. 379). Vielmehr betreiben die Christen im Christus gerade die Aufhebung der „Sphäre der Ungerechtigkeit, der Ethik, des Staates und seiner fragwürdigen Pflichten" (390). Barth verbindet seine Aufforderung, in rebus politicis „im Einzelnen die Ethik (zu) konsultieren", mit der Ermahnung: „nur daß ihr euch bewußt seid: solche Ethik ist immer eine Ethik der verfahrenen Situationen" (381). Darüber aber hatte er wenig vorher geschrieben: „Zur Ethik der *verfahrenen* Situationen ... hat das Neue Testament nichts zu bemerken" (371). Nach Barth wird das Christentum in der Reflexion seiner Lage in der Welt nicht auf die Ethik geführt, die nach Troeltsch den Weg sucht und aufweist, auf dem es sich als ein Subjekt unter anderen, in Bindung „an die Besonderheiten des Bodens und Materials" und in Konkurrenz zu „anderen Bauherren" annäherungsweise eine Gestalt seiner Verwirklichung in der Welt schafft (GS I, 966), indem es „die sozialen Ordnungen positiv als Unterlagen und Vorformen der Erreichung des höchsten religiös-ethischen Zieles zu gestalten" unternimmt (72), sondern das Christentum wird nach Barth in der Reflexion seiner Lage in der Welt an sich selbst als an das ihm eigentümliche Bewußtsein seiner Gottesgemeinschaft verwiesen, von dem solche Gestaltungen als Kompromisse und bloße Vorformen, darin aber als defiziente Weisen christlicher Selbstverwirklichung gewußt werden. Die Differenz zwischen dem „eigentlichen idealen Willen" des Christentums und seiner Verwirklichung konstatiert am Schluß seiner „Soziallehren" auch Troeltsch als für das ethische Bewußtsein des Christentums konstitutiv, wenn er einerseits feststellt, daß das christliche Ethos der „Selbstheiligung für Gott" und der „Bruderliebe" ein Ideal darstellt, „das zu seiner vollen Durchführung eine neue Welt verlangt" (GS I, 973), und dann andererseits über die christliche Ethik schreibt: „Es gibt keine absolute christliche Ethik... Es gibt auch keine absolute Ethisierung." Auch künftige christliche Soziallehren werden „das Reich Gottes auf Erden als einen vollendeten sozialethischen Organismus ... so wenig schaffen, als irgend eine andere Macht der Erde", sie werden „ihren eigentlichen idealen Willen nie voll verwirklichen in dem Bereich der irdischen Lebenskämpfe" (985f). Jede christliche Ethik wird vielmehr in sich eine „Anpassung an die Lage" sein und „nur das Mögliche" wollen (986). Aus solcher „Einsicht in die problematische Lage aller christlich-sozialen Arbeit" (985) leitet Troeltsch jedoch nicht ab, daß die christliche Ethik in dem Sinne als „Ethik der verfahrenen Situation" aufzufassen sei, daß sie für die Selbstauffassung des Christentums eigentlich als unwesentlich zu betrachten sei, sondern er sieht ihre menschliche und christliche Berechtigung damit als hinlänglich ausgewiesen an, daß solche Ethik innerhalb ihrer geschichtlichen Grenzen „unentbehrliche Dienste leisten und innerlichste Kräfte entfalten" kann (985), so daß er auf die aktuelle Schwäche der bisherigen christlichen Ethik in der modernen Welt mit der Forderung „neue(r) Gedanken" (985) und einer „neuen christlichen Ethik", die der „neuen Kulturlage" entspricht (975), reagiert. Auch für Barth ist die ethisch orientierte politische Praxis der Christen wünschenswert als „wünschenswerte Eindämmung des Bösen", doch hat sie nach Barth keine konstitutive Bedeutung für die Erfassung dessen, was das Christentum als es selbst ist. In der ethisch orientierten politischen Praxis steht das Christentum außerhalb seiner „Wahlgemeinschaft mit Gott". Seine politische Praxis ist eine wünschenswerte Eindämmung des Bösen *durch sich selbst*. In ihr bewegt sich das Christentum mit schlechtem Gewissen im Bannkreis des Bösen, den es zum Guten hin erst dort überschreitet, wo es aus Anlaß seiner politischen Praxis die überlegene Methode seines Handelns in Anschlag bringt, mit der es nicht als ein Subjekt unter anderen tätig wird, sondern als allgemeines Subjekt. Die von Troeltsch als Resultat seiner historischen Untersuchung der Soziallehren der christlichen Kirchen und Gruppen herausgestellte „Einsicht in die problematische Lage aller christlich-sozialen Arbeit" (GS I, 985), die er u.a. mit der Feststellung konkretisierte, daß das Christentum als historisches Subjekt „das Reich Gottes auf Erden ... so wenig schaffen [sc. werde], als irgend eine andere Macht der Erde" (985), verdichtet Barth damit zur Aporie des ethischen Bewußtseins des Christentums, das das Tun des Guten in seinem ethisch orientierten Handeln nicht mehr identifizieren darf, sofern es überhaupt mit dem Bewußtsein seiner Gottesgemeinschaft Ernst machen will. Daß diese Aporie des tätigen ethischen Bewußtseins nicht zur Aporie des christlichen Selbstbewußtseins in der Welt wird, unterbindet Barth durch die Bestimmung des historisch existierenden Christentums als im Christus allgemeines Subjekt, dem in einer überlegenen Methode zu handeln ein Weg offensteht, wirklich das Gute zu tun. Damit wird bei Barth die Feststellung der Aporie des ethischen Bewußtseins zu einem inte-

gralen Moment in der Explikation des als allgemeines Subjekt redefi-
nierten Christentums. „... wir können nicht hier und dort mit Gott
Taten tun", schreibt Barth im Blick auf die Unmöglichkeit, das Gute
politisch zu verwirklichen. „Wir können nur mit Gott das Gute tun
und so Vorarbeit leisten für die endliche Aufhebung des Bösen in
einer neuen Welt — oder dann eben an Gott zu Verrätern werden"
(Röm[1], 385).

IV. Barths Zitation von Troeltschs „Soziallehren der christlichen Kirchen und Gruppen" in seinem Vortrag: „Der Christ in der Gesellschaft"

1. Das Zitat bei Barth und Troeltsch

Karl Barth hat am 25.9.1919 in seinem Vortrag vor der Religiös-
sozialen Konferenz in Tambach erneut auf Troeltschs „Soziallehren"
zurückgegriffen. Er sagt dort unter dem Thema „Der Christ in der
Gesellschaft": „,Die Kraft des Jenseits ist die Kraft des Diesseits',
hat Troeltsch in seinen ,Soziallehren' merkwürdig treffend gesagt,
und wir fügen hinzu: sie ist die Kraft der Bejahung und die größere
Kraft der Verneinung" (Vorträge I, 66). Dieses Zitat aus Troeltschs
„Soziallehren" ist von Barth in KD IV/2 nochmal aufgenommen in
dem Satz: „Die Liebe ist das *Kontinuum* zwischen Jetzt und Dann,
zwischen ,Diesseits' und ,Jenseits'. Sie ist wohl nach *Troeltschs* berühmtem Satz: die Kraft des Jenseits, die als solche schon die Kraft
des Diesseits ist" (KD IV/2, 949).
Das Zitat steht bei Troeltsch als letzter Satz von Punkt 6 des
Schlußteils seiner „Soziallehren", in dem Troeltsch den Gedanken
des Gottesreiches der Zukunft als einen „bleibenden ethischen Wert
(...)" beschreibt, von dem er sich verspricht, daß er „für die Gegenwart und für die Zukunft ... dem Gestalten der Lage dient" (GS I,
971f):

„*Schließlich:* Das christliche Ethos stellt allem sozialen Leben und Streben ein
Ziel vor Augen, das über allen Relativitäten des irdischen Lebens hinausliegt
und im Verhältnis zu dem alles nur Annäherungswerte darstellt. Der Gedanke
des Gottesreiches der Zukunft, der nichts anderes ist als der Gedanke der endgültigen Verwirklichung des Absoluten, wie immer man sie denken mag, entwertet nicht, wie kurzsichtige Gegner meinen, Welt und Weltleben, sondern
strafft die Kräfte und macht durch alle Durchgangsstufen hindurch die Seelen
stark in ihrer Gewißheit eines letzten, zukünftigen absoluten Sinnes und Zieles
menschlicher Arbeit. Er erhebt über die Welt, ohne die Welt zu verneinen. Dieser

tiefste Gedanke und Sinn aller christlichen Askese ist das einzige Mittel, Kraft und Heldenmut zu behalten in einer geistigen Gesamtlage, die das Gefühlsleben so unendlich vertieft und verfeinert und die natürlichen Motive des Heroismus rettungslos zerbricht oder lediglich aus den Instinkten der Brutalität wieder zu erwecken versucht. Er ist eine Quelle der angespannten Aktivität und Zielsicherheit zugleich und damit der schlichten Gesundheit. Alle Gesellschaftsutopien werden dann überflüssig; die immer wieder von der Erfahrung gepredigte Unmöglichkeit, das Ideal voll zu begreifen und zu verwirklichen, braucht dann den Suchenden nicht zu beirren und nicht in Skepsis zurückzuwerfen, die so leicht die Folge gerade ernsten Wahrheitssinnes ist und die feineren Geister der Gegenwart überall erfüllt. Das Jenseits ist die Kraft des Diesseits." (GS I, 979)

2. Die Veränderung des Zitates durch Barth und seine Anmerkungen zum Zitat

Zur Zitation des Satzes „Das Jenseits ist die Kraft des Diesseits" durch Barth ist zu bemerken, daß er sowohl in seinem Tambacher Vortrag wie in KD IV/2 von Troeltschs Formulierung darin abweicht, daß er von der „Kraft des Jenseits" spricht und nicht wie Troeltsch vom „Jenseits", das die Kraft des Diesseits ist. Überdies notiert er 1919 den zitierten Satz als „merkwürdig treffend". Außerdem fügt er dem Troeltschzitat den Gedanken hinzu, die Kraft des Jenseits sei die Kraft des Diesseits als „die Kraft der Bejahung und die größere Kraft der Verneinung". In KD IV/2 wird der Satz als ein berühmter Satz Troeltschs aufgegriffen.

3. Sinn und Funktion des Satzes: „Das Jenseits ist die Kraft des Diesseits" in Troeltschs „Soziallehren"

Im vorigen Abschnitt war gezeigt worden, daß Troeltsch in seiner Darstellung der Soziallehren der christlichen Kirchen und Gruppen zu der Feststellung gelangte: „Es gibt keine absolute christliche Ethik... Es gibt auch keine absolute Ethisierung... So wird auch die jetzige und kommende christliche Ethik eine Anpassung an die Lage sein und nur das Mögliche wollen" (GS I, 986). Für das ethische Bewußtsein des Christentums, das sein Ethos in den politisch-sozialen Bildungen zu realisieren sucht, war damit festgestellt, daß es seinen „eigentlichen idealen Willen nie voll verwirklichen" werde (985, s.o. 104f). Während Barth diese aporetische Einsicht in seinem ersten Römerbrief so aufnimmt, daß er im Christentum ein solches Subjekt konstruiert, das kraft seiner Gotteinigkeit als allgemeines Subjekt zu einer unbedingten Verwirklichung des ihm eigenen Ethos fähig ist,

und daneben die absolute Defizienz aller Ethik betont, die dieses
Ethos niemals unbedingt zur Geltung bringen kann, erfaßt
Troeltsch das Problematische dieser Einsicht gerade darin, daß
der ethische Wille der Christen unter der Einsicht in die Defizienz
aller ethischen Verwirklichungsversuche erlahmen könnte. Diesem
Problem wendet sich Troeltsch im Zusammenhang des von Barth
1919 zitierten Satzes zu. Er stellt dort den Gedanken des Gottesreiches der Zukunft als einen „bleibenden ethischen Wert (...)"
(978) heraus und charakterisiert dessen Funktion für das ethische
Bewußtsein des Christentums dadurch, daß er es dem Christentum
erlaubt, die oben gekennzeichnete aporetische Lage zu ertragen.
Unter dem im christlichen Ethos enthaltenen Gedanken des Gottesreiches der Zukunft braucht nach Troeltsch „die immer wieder von
der Erfahrung gepredigte Unmöglichkeit, das Ideal voll zu begreifen
und zu verwirklichen, ... den Suchenden nicht zu beirren und nicht
in Skepsis zurückzuwerfen" (979). In dem Gedanken des Gottesreiches der Zukunft hat das ethische Bewußtsein des Christentums
nach Troeltsch ein Mittel, ja „das einzige Mittel", mit dem es die
Skepsis abweisen kann, durch die es bedroht ist, sobald es erkennt,
daß es „keine absolute Ethisierung" gibt (986) und daß es ihm unmöglich ist, „das Ideal voll zu begreifen und zu verwirklichen" (979).
„Der Gedanke des Gottesreiches der Zukunft", erklärt Troeltsch,
„der nichts anderes ist als der Gedanke der endgültigen Verwirklichung des Absoluten, wie immer man sie denken mag, entwertet
nicht, wie kurzsichtige Gegener meinen, Welt und Weltleben, sondern strafft die Kräfte und macht durch alle Durchgangsstufen hindurch die Seelen stark in ihrer Gewißheit eines letzten, zukünftigen
absoluten Sinnes und Zieles menschlicher Arbeit. Er ... ist das einzige Mittel, Kraft und Heldentum zu behalten... Er ist eine Quelle der
angespannten Aktivität und Zielsicherheit zugleich und damit der
schlichten Gesundheit" (979). Damit fungiert der Gedanke des Gottesreiches der Zukunft nach Troeltsch im ethischen Bewußtsein
des Christentums als dasjenige Moment, das es diesem erlaubt, sich
im Wollen des Möglichen tatkräftig zu entfalten, ohne daß es durch
„die immer wieder von der Erfahrung gepredigte Unmöglichkeit,
das Ideal voll zu begreifen und zu verwirklichen" (979), in Skepsis
gestürzt wird.
Troeltsch konstatiert diese Funktion des Gedankens des Gottesreiches der Zukunft unter Zurückweisung der Meinung „kurzsichtige(r)
Gegner", die in dem Gedanken des Gottesreiches der Zukunft die
Entwertung von „Welt und Weltleben" erblicken (979). Diese gegnerische Meinung hat zum Anhalt, daß in dem Gedanken des Gottesreiches der Zukunft nicht der Mensch, der innerhalb der Relati-

vitäten des irdischen Lebens tätig ist, als Subjekt der endgültigen Verwirklichung des Absoluten gedacht ist, sondern Gott, so daß das Gottesreich der Zukunft dem Menschen als eine fremde, ihn und seine irdische Tätigkeit bedrohende Objektivität entgegentritt und als solche „Welt und Weltleben" entwertet. Daß Troeltsch diese Meinung als die Ansicht kurzsichtiger Gegner zurückweisen kann, folgt aus seinem Verständnis des Christentums als Religionsgemeinschaft, das von den Gegnern nicht geteilt wird. Nach Troeltsch ist das Selbstbewußtsein der Christen (s.o. 75) durch ihre Berufung zur Gottesgemeinschaft konstituiert. Im religiösen Erlebnis erfassen die Christen diese Gottesgemeinschaft als unmittelbare Gegebenheit. Ihr entsprechen sie in der Ausbildung des Ethos der „Selbstheiligung für Gott" und der „Bruderliebe". Das Gottesreich der Zukunft kann darum von ihnen als die Verwirklichung ihrer selbst verstanden werden, und zwar als eine Verwirklichung, die sie selbst in ihrem Handeln intendieren, aber niemals erreichen, da sie das ihnen eigentümliche Ethos immer nur partiell in den natürlichen Verhältnissen zur Geltung bringen können. Sind sie sich aber der Verwirklichung ihrer Gottesgemeinschaft im Gedanken des Gottesreiches der Zukunft gewiß, dann sind sie nicht nur in der Lage, die skeptischen Konsequenzen der Erfahrung, daß es ihnen unmöglich ist, das Ideal voll zu begreifen und zu verwirklichen, niederzuschlagen, sondern sie können sogar ihre eigenen ethischen Gestaltungen als „Annäherungswerte" an die endgültige Verwirklichung des Absoluten interpretieren, als „Durchgangsstufen" der Seele auf die unbedingte Verwirklichung der Gottesgemeinschaft hin. In dieser Hinsicht entwertet dann aber der Gedanke des Gottesreiches der Zukunft nicht nur nicht Welt und Weltleben, wie „kurzsichtige Gegner" meinen, sondern „macht durch alle Durchgangsstufen hindurch die Seelen stark in ihrer Gewißheit eines letzten, zukünftigen absoluten Sinnes und Zieles menschlicher Arbeit". Der Gedanke an das Gottesreich der Zukunft, das „über allen Relativitäten des irdischen Lebens hinausliegt", „strafft die Kräfte", „ist das einzige Mittel, Kraft und Heldentum zu behalten", „ist eine Quelle der angespannten Aktivität und Zielsicherheit zugleich und damit der schlichten Gesundheit" (GS I, 979). Diese Funktion des Gedankens des Gottesreiches der Zukunft für das ethische Bewußtsein des Christentums formuliert Troeltsch als metaphysische Struktur, wenn er abschließend schreibt: „Das Jenseits ist die Kraft des Diesseits."
In diesem Satz verbinden sich, wie Kasch ohne Bezug auf den Kontext des Satzes dargetan hat, „Grundgedanken der Troeltschschen Gotteslehre und Anthropologie" (Kasch, 245). Liest man den Genitiv als Genitivus obiectivus, dient er der Explikation der Gotteslehre,

versteht man ihn als Genitivus subiectivus, dient er der Explikation der Anthropologie. Beide Hinsichten sind in Troeltschs Systematik möglich und miteinander verbunden, denn die Seele des Menschen ist nach Troeltsch der identische Ort von Diesseits und Jenseits. Darauf weist in dem oben wiedergegebenen Text der von Troeltsch angeführte Satz hin, daß der Gedanke des Gottesreiches der Zukunft die Seelen stark mache in *ihrer* Gewißheit eines letzten, zukünftigen absoluten Sinnes und Zieles *menschlicher* Arbeit. Weil die Seele dem Jenseits angehört, kann der Gedanke des Gottesreiches der Zukunft sie in ihrer Gewißheit stark machen, weil sie als Seele des Menschen dem Diesseits angehört, kann ihre Gewißheit die Gewißheit eines letzten, zukünftigen absoluten Sinnes und Zieles *menschlicher* Arbeit sein. Entscheidend für das Verständnis des Satzes: „Das Jenseits ist die Kraft des Diesseits" wird dann aber der Zusammenhang, daß das im Begriff des Jenseits an sich selbst erfaßte Gottesreich der Zukunft wegen der „metaphysischen Konstitution des Menschen" (GS II, 665) in der Seele des Menschen die Kraft des Diesseits ist, wobei das Diesseits dann als die an sich selbst gefaßte materielle und menschliche Natur zu verstehen ist. Die Aufgabe, den Satz: „Das Jenseits ist die Kraft des Diesseits" kontextgemäß zu interpretieren, legt es dann aber zwingend nahe, den Genitiv als Genitivus subiectivus zu lesen und ihn im Horizont von Troeltschs Anthropologie zu interpretieren: Sofern das Jenseits als in der Seele des Menschen im Diesseits präsent gedacht wird, ist es Ursprung und tragende Kraft, das Prinzip der sittlichen Tätigkeit des Menschen, unter dem er die Natur gestaltet. Daß im Handeln des Menschen in der Welt das Jenseits niemals als es selbst zur Verwirklichung gelangt, ist dabei für Troeltsch nicht die Widerlegung des christlichen Sinnes solcher Tätigkeit, sondern die faktische Voraussetzung dessen, daß es überhaupt ein christliches Handeln gibt. Entfällt diese Voraussetzung, trifft das Gottesreich der Zukunft als die endgültige Verwirklichung des Absoluten, wie immer man sie denken mag, ein, dann ist darin auch das Ende des Menschen gekommen. Er ist samt seiner Natur, die sein Menschentum immer mitcharakterisiert, aufgehoben in die an und für sich verwirklichte Gottesgemeinschaft. Als Grenzbegriff faßt Troeltsch im letzten Satz seiner „Soziallehren" diese anthropologische Implikation seiner Ethik ins Auge, wenn er in einer Kompilation von Lk 17,21 und Mt 5,16 feststellt: „Es bleibt dabei — und das ist das alles zusammenfassende Ergebnis — das Reich Gottes ist inwendig in uns. Aber wir sollen unser Licht in vertrauender und rastloser Arbeit leuchten lassen vor den Leuten, daß sie unsere Werke sehen und unseren himmlischen Vater preisen. Die letzten Ziele aber allen Menschentums sind verborgen in seinen Händen" (GS I, 986). Im Gottesreich der Zukunft ist nicht nur der letzte, zukünftige absolute Sinn und das letzte, zukünftige absolute Ziel menschlicher Arbeit in einer gegenständlich nicht mehr auszudenkenden Weise realisiert, sondern ist das letzte Ziel des „Menschentums" selbst in Gottes Händen verborgen. Die Explikation des Satzes das „Jenseits ist die Kraft des Diesseits" kann also auch als die Explikation eines anthropologischen Satzes nur im Kontext des Gottesgedankens voll durchgeführt werden, so daß die Entfaltung seines Sinnes auch von dort ausgehen kann. Das geschieht, wo der Genitiv des Satzes: „Das Jenseits ist die Kraft des Diesseits" als Genitivus obiectivus gelesen wird. Dann ist das Jenseits unmittelbar als es selbst die Kraft des Diesseits. Es depotenziert nicht nur die materielle und menschliche Natur zum Material seiner eigenen Kraftentfaltung, sondern auch die Tätigkeit des Menschen wird zum Medium der Kraftentfaltung des Jenseits selbst. Sofern das Jenseits unmittelbar als es selbst die Kraft des Diesseits ist, gilt dann aber: „Die letzten Ziele allen Menschentums sind verborgen in seinen [sc. Gottes] Händen" (986). Für Troeltsch ist diese Perspektive christlichen Handelns jedoch ohne unmittelbare Bedeutung für die Ausarbeitung des aktuellen ethischen Bewußtseins, das sich im Wollen des Möglichen an der Natur abarbeitet. Der Gedanke des Gottesreiches der Zukunft als des an sich selbst erfaßten Jenseits hat für das aktuelle ethische Bewußtsein nach Troeltsch nur eine mittelbare Bedeutung, sofern der Christ in ihm die Möglichkeit gewinnt, sich das Bewußtsein seiner Gottesgemeinschaft auch im Blick auf seine Tätigkeit letztlich zu erhalten. Er kann im Blick auf den in seinem Ethos enthaltenen Gedanken des Gottesreiches der Zukunft mit seiner Arbeit einen „letzten, zukünftigen absoluten Sinn" verbinden[176]. Auch wenn er in seiner Arbeit unmittelbar nicht die Verwirklichung der Gottesgemeinschaft identifizieren kann, kann er sie mittelbar, eben im Blick auf das Jenseits, doch als die Gestalt wissen und wollen, in der er ihre Verwirklichung in der Welt hat.

Weil sich das christliche Bewußtsein der Gottesgemeinschaft damit dann aber im Gedanken des Gottesreiches der Zukunft für sich selbst das Bewußtsein seiner Gottesgemeinschaft in der Welt erhält, und darin letztlich erst die Konsistenz seines Selbstbewußtseins gewinnt, identifiziert Troeltsch diesen Gedanken nicht nur als einen „bleiben-

---

176 Hierin liegt der Grund, daß Bultmann unter einem Barth verwandten Gesichtwinkel 1922 schreiben kann, auch nach Troeltsch sei das Jenseits das Jenseits von Jenseits und Diesseits. Vielleicht übernimmt er in den „Sozialistischen Monatsheften" damit aber auch nur eine Anregung aus Barths Tambacher Vortrag.

den ethischen Wert (...)", der „in der bunten Geschichte der christlichen Soziallehren enthalten" ist (GS I, 978) und der „dem Gestalten der Lage dient" (977), sondern zugleich als eine „Herausgreifung (...) aus dem geschichtlichen Leben, die die lebendige Überzeugung und der handelnde Wille vollzieht in der Gewißheit, hier die absolute Vernunft in ihrer uns zugewandten und im gegenwärtigen Zusammenhang geformten Offenbarung zu erkennen" (978). Weil der Christ in diesem Gedanken die Konsistenz seines Selbstbewußtseins gewinnt, kann er sich gewiß sein, „hier die absolute Vernunft in ihrer uns zugewandten und im gegenwärtigen Zusammenhang geformten Offenbarung zu erkennen" (987). Er kann in dem Gedanken des Gottesreiches der Zukunft die absolute Vernunft erkennen, sofern er in diesem Gedanken die Wahrheit seiner selbst erfaßt. Er kann in diesem Gedanken die Offenbarung der absoluten Vernunft erkennen, weil er in ihm die Wahrheit als Gegebenheit erfaßt. Er kann in dem Gedanken des Gottesreiches der Zukunft die Offenbarung der absoluten Vernunft nur in ihrer ihm zugewandten und im gegenwärtigen Zusammenhang geformten Form zu erkennen gewiß sein, weil der Gedanke des Gottesreiches der Zukunft der Christentumsgeschichte angehört, der er selbst angehört, und in der ihm das ihm eigentümliche Selbstbewußtsein gegeben ist, die als solche aber nicht die Universalgeschichte ist. Hier eröffnen sich bei Troeltsch die über ihn hinausdrängenden Perspektiven seines Denkens, denn ist diese letzte Einschränkung für den Einzelnen in praktischer Hinsicht auch ohne Bedeutung, da er sich ja im Gedanken des Gottesreiches der Zukunft der Wahrheit als Gegebenheit für sich tatsächlich gewiß sein kann, so bleibt für sein Wahrheitsbewußtsein doch der Stachel, daß es an und für sich noch andere Formen der Gegebenheit des Selbstbewußtseins geben könnte. Wird sein religiöses Wahrheitsbewußtsein daher total, kann er sich nicht mehr damit begnügen, daß ihm im Gedanken des Gottesreiches der Zukunft sein Selbstbewußtsein als christliches gegeben ist. Er muß das ihm im Gedanken des Gottesreiches der Zukunft als bloß christliches bewußt gewordene Selbstbewußtsein als die Offenbarung der absoluten Vernunft selbst erfassen, will er die ihm im Gedanken des Gottesreiches der Zukunft gegebene Wahrheit seines Selbstbewußtseins als Wahrheit schlechthin wissen können. Er müßte sich von der Geschichte, in der ihm sein Selbstbewußtsein gegeben ist, in der Weise emanzipieren, daß er sich ihr gegenüber als der Form, in der er sich sein Selbstbewußtsein gegeben weiß, auf sich selbst stellte. Dadurch wäre er erst für die Verwirklichung der vergänglichen ethischen Werte seines Lebens frei und könnte in seinem Handeln der Verwirklichung seiner Gottesgemeinschaft unmittelbar gewiß sein.

Soweit geht Troeltsch jedoch nicht, wenn er den Gedanken des Gottesreiches der Zukunft als einen bleibenden ethischen Wert bezeichnet, den die lebendige Überzeugung und der handelnde Wille herausgreift „in der Gewißheit, hier die absolute Vernunft in ihrer uns zugewandten und im gegenwärtigen Zusammenhang geformten Offenbarung zu erkennen" (GS I, 978). Für das Verständnis der theologiegeschichtlichen Lage jener Zeit bleibt dann aber gleichwohl festzuhalten, daß Troeltsch zu seinen eigenen Ausführungen anmerkt: „Erkenntnisse ewiger ethischer Werte sind keine wissenschaftlichen Erkenntnisse und sind nicht wissenschaftlich beweisbar" (977), er wolle daher die „dem Gestalten der Lage" seiner geschichtlich gewonnenen Ansicht nach dienlichen Werte nur in dem näher bezeichneten Sinne als „bleibende(...) ethische(...) Werte" herausheben (978). Diese Auskünfte Troeltschs belegen die obige Analyse in doppelter Hinsicht. Sie zeigen einmal, daß auf dem von Troeltsch vertretenen Standpunkt der Christ die ihm im Gedanken des Gottesreiches der Zukunft gewiß werdende Wahrheit seines Selbstbewußtseins nicht als Wahrheit schlechthin wissen kann. Andererseits zeigen sie, daß Troeltsch in der Art und Weise, wie er diesen Standpunkt vertritt, sich mit seinem Selbstbewußtsein tatsächlich gegenüber der Geschichte, in der er es sich gegeben weiß, auf sich selbst gestellt hat, und zwar, um sich der Verwirklichung der vergänglichen Werte dieses Lebens zuzuwenden, „dem Gestalten der Lage" zu dienen. Im folgenden Abschnitt geht es nun jedoch erst wieder um den von Troeltsch explizit vertretenen Standpunkt und dessen Beziehung auf Barths Theologie.

4. Sinn und Funktion des Satzes:
   „Die Kraft des Jenseits ist die Kraft des Diesseits" bei Barth

Durch seinen Rückgriff auf den im christlichen Ethos enthaltenen Gedanken des Gottesreiches der Zukunft löst Troeltsch für das ethische Bewußtsein des Christentums das Problem, wie sich die Christen, die sich im religiösen Erlebnis ihrer Gottesgemeinschaft innegeworden sind, ihrer Gottesgemeinschaft gewiß bleiben können und ihr Handeln auf die Verwirklichung der Gottesgemeinschaft bezogen wissen können, um sich darin das Bewußtsein ihrer Gottesgemeinschaft in der Welt erhalten zu können, obwohl ihre Tätigkeit innerhalb der Relativitäten des irdischen Lebens verbleibt und als solche von ihnen nicht unmittelbar als Verwirklichung ihrer Gottesgemeinschaft identifiziert werden kann.
Die obige Interpretation von Barths Auslegung von Röm 13 zeigt

nun aber eine Problemkonstellation bei Barth, wonach für Barth in seiner Römerbriefauslegung dasselbe Problem besteht, das Troeltsch im Gedanken des Gottesreiches der Zukunft für das ethische Bewußtsein des Christentums als gelöst betrachtet, wie sich nämlich die Christen ihrer Gottesgemeinschaft gewiß bleiben und ihr Tun auf die Verwirklichung der Gottesgemeinschaft bezogen wissen können, dh. aber, das Bewußtsein ihrer Gottesgemeinschaft in der Welt erhalten können, obwohl ihre Tätigkeit innerhalb der Relativitäten des irdischen Lebens verbleibt und als solche von ihnen nicht unmittelbar als Verwirklichung ihrer Gottesgemeinschaft identifiziert werden kann. Zwar konstruierte Barth einen christlichen Handlungsbegriff, wonach die Christen sich als gotteiniges Subjekt in ihrem Handeln selbst verwirklichen, indem sie das allgemeine Subjekt, das sie im Christus sind, zu geschichtlicher Allgemeinheit aufbauen, doch mußte Barth — und in dieser Hinsicht entsteht das mit Troeltsch vergleichbare Problem —, daneben ein Handeln der Christen anerkennen, das wohl einen ethischen, eben darum aber keinen christlichen Sinn mehr besaß, weil mit ihm wohl etwas, aber nicht die Gottesgemeinschaft realisiert wurde. Als bloße Einzelne, wie zB. als politische Menschen, konnten die Christen nicht als Christen handeln. Als bloße Einzelne konnten sich die Christen ihrer Gottesgemeinschaft im Blick auf ihr Handeln nicht gewiß sein, da sie ihr Handeln als bloße Einzelne nicht als Verwirklichung ihrer Gottesgemeinschaft identifizieren konnten. Dieses Problem nimmt Barth auf in seinem Vortrag „Der Christ in der Gesellschaft". Dabei bleibt die Radikalität des im ersten Römerbriefkommentars bezogenen Standpunktes erhalten, wonach im Sinne Barths nur ein solches Handeln als christlich identifiziert werden darf, das als solches die Verwirklichung der Gottesgemeinschaft zum Inhalt hat. Damit tritt bei Barth dann aber die Frage, wie sich der einzelne Christ in seinem Handeln seiner Gottesgemeinschaft gewiß sein könne, obwohl er als bloßer Einzelner immer nur etwas, aber nicht seine Gottesgemeinschaft und dadurch sich selbst realisiert, unter andere Bedingungen als sie bei Troeltsch steht. Identifizierte Troeltsch das Handeln der einzelnen Christen als christliches Handeln, weil von ihnen im Gedanken des Gottesreiches der Zukunft die tatsächliche Verwirklichung der Gottesgemeinschaft als zukünftige Verwirklichung der gegenwärtigen Sinnintention ihres Handelns gewußt werden konnte, so reicht für Barth diese Begründung nicht aus. Daß die Verwirklichung der Gottesgemeinschaft nur als zukünftige Verwirklichung der Sinnintention des gegenwärtigen Handelns gewußt werden kann, bedeutete unter Barths Verständnis gerade, daß der Christ im Blick auf sein gegenwärtiges Handeln seiner Gottesgemeinschaft nicht gewiß sein kann. Weil das ethische Bewußtsein nach Troeltschs Problemlösung nicht unmittelbar befriedigt wird, sofern die tatsächliche Verwirklichung der Gottgemeinschaft unmittelbar nur als zukünftige Verwirklichung der Sinnintention des gegenwärtigen Handelns bestimmt ist, bleibt es unter Barths radikalisiertem Anspruch, das christliche Handeln müsse die Verwirklichung der Gottesgemeinschaft unmittelbar beinhalten, unbefriedigt. Für Barth reicht es nicht, daß der Christ sein Handeln mittelbar als die Gestalt wissen kann, in der er in der Welt die Verwirklichung der Gottesgemeinschaft hat, er muß sein Handeln in der Welt unmittelbar als die Gestalt wissen können, in der er die Verwirklichung seiner Gottesgemeinschaft hat. Wie Barth das in seinem Vortrag: „Der Christ in der Gesellschaft" erreicht, ist nun an der Aufnahme und Umformulierung des Troeltschzitates aufzuzeigen, das Barth nicht in der Gestalt: „Das Jenseits ist die Kraft des Diesseits", sondern in der Gestalt: „Die Kraft des Jenseits ist die Kraft des Diesseits" zitiert.

Damit der Satz: „Das Jenseits ist die Kraft des Diesseits" im Sinne Barths die Möglichkeit feststellt, daß sich der Christ im Blick auf sein Handeln in der Welt für sich seiner Gottesgemeinschaft gewiß sein kann, ist seine Uminterpretation notwendig. Von der Polemik, die Barth im gleichen Vortrag gegen den Vorschlag führt, „daß man statt *Jen*seits hinfort besser *Inn*seits sagen sollte" (Vorträge I, 65), würde sonst auch der Satz: „Das Jenseits ist die Kraft des Diesseits" betroffen, den Barth aber gerade als einen merkwürdig treffenden Satz Troeltschs zitiert[177]. Indem er den Satz als „Bemerkung" zitiert, kann er den im Kontext bestimmten Sinn des Satzes unterdrücken. Da der Satz selbst dann aber die Möglichkeit enthält, das Jenseits unmittelbar als die Kraft des Diesseits zu denken, sofern der Genitiv als Genitivus obiectivus gelesen wird, kann er ihn dann sogar als eine treffende Bemerkung zitieren. Er formuliert bei diesem Verständnis die Möglichkeit, daß die Verwirklichung der Gottesgemeinschaft unmittelbar als der Inhalt des menschlichen Handelns gewußt werden kann. Denn ist das Jenseits unmittelbar die Kraft des Diesseits, dann depotenziert es nicht nur die materielle und die menschliche Natur

---

177 Barth bezieht sich ohne Namensnennung auf das 1917 in Tübingen erschienene Buch P. Jaegers, Innseits. Zur Verständigung über den Jenseitsgedanken (vgl. Werke V/4, 262). In der von Jaeger 1924 anläßlich des Wiederabdrucks dieses Vortrags in Barths erstem Vortragsband provozierten Auseinandersetzung mit Barth in der „Christlichen Welt" (Jg. 38, Sp. 579f, 626–628, 771–773) verwirft Barth in seiner „Antwort an Paul Jaeger" (aaO. Sp. 626–628) die Aufnahme von Lk 17,21 im Sinne von Jaegers Innseits-These. Er trifft sachlich damit aber auch Troeltsch, der am Schluß seiner Soziallehren geschrieben hatte, in Aufnahme von Lk 17,21: „Es bleibt dabei... Das Reich Gottes ist inwendig in uns" (I, 986).

zum Material seiner eigenen Kraftentfaltung, sondern auch die Tätigkeit des Menschen ist dann Medium der Kraftentfaltung des Jenseits selbst. Dieses für Troeltsch nur in der eschatologischen Reflexion mögliche Verständnis des Satzes ist für Barth das allein mögliche. Dadurch wird für ihn dann aber dieser Satz, obwohl er eine treffende Bemerkung enthält, im Blick auf Troeltschs sonstige Ausführungen, in denen diese eschatologische Reflexion nur selten explizit wird, zu einem für Troeltsch merkwürdig treffenden Satz. Troeltsch gegenüber kommt es daher für Barth darauf an, die Schlußfolgerungen aus diesem merkwürdig treffenden Satz zu ziehen, damit sein treffender Gehalt zur Geltung komme. Denn, ist das Jenseits als es selbst die Kraft des Diesseits, dann ist es nicht genug zu sagen, daß es die Tätigkeit des Menschen als Medium seiner Kraftentfaltung hat, sondern es ist daraus die Schlußfolgerung für den Menschen zu ziehen, daß dann seine Seele an sich ohnmächtig ist. Ist das Jenseits auch in der Seele als es selbst gedacht, dann geht die Seele in der Erfassung ihrer Einheit mit dem Jenseits auf, so daß dann die Kraft des Diesseits direkt als die Kraft des Jenseits zu begreifen ist. Diese Implikationen macht Barth explizit, indem er den Satz: „Das Jenseits ist die Kraft des Diesseits" mit der Veränderung zitiert: „Die Kraft des Jenseits ist die Kraft des Diesseits." Damit thematisiert Barth dann freilich nicht mehr unmittelbar das Jenseits selbst, sondern nur noch die Kraft des Jenseits; doch bringt er damit gerade das in seinem Sinne für das ethische Bewußtsein entscheidende Moment zur Geltung, daß es seine Tätigkeit unmittelbar als die Verwirklichung der Gottesgemeinschaft wissen kann. Es kann seine Tätigkeit so als Verwirklichung der Gottesgemeinschaft wissen, daß es seine Tätigkeit als die Tätigkeit des Jenseits selbst weiß.

5. Der theologiegeschichtliche Zusammenhang
   von Troeltsch und Barth im Lichte des Tambacher Vortrags

Betrachten wir, was die Aufnahme und Umformulierung des Satzes: „Das Jenseits ist die Kraft des Diesseits" durch Barth für das Verständnis des theologiegeschichtlichen Zusammenhangs zwischen Troeltsch und Barth erbringt, so läßt sich über den von Barth 1919 gegenüber Troeltsch vollzogenen Schritt sagen, daß er eine Aufklärung des ethischen Bewußtseins, damit aber auch des christlichen Selbstbewußtseins über sich selbst erbringt. Die Feststellung, daß der Christ seine Tätigkeit unmittelbar nur so als Verwirklichung seiner Gottesgemeinschaft wissen kann, daß er sie als die Tätigkeit des Jenseits selbst weiß, bringt dem Christen zum Bewußtsein, daß er sein Handeln, als dessen Subjekt er sich weiß, an und für sich nicht als Verwirklichung seiner Gottesgemeinschaft betrachten kann. Er kann sein Handeln in der Welt nur noch für sich als Verwirklichung seiner Gottesgemeinschaft deuten, an sich aber eben nicht mehr als Verwirklichung seiner Gottesgemeinschaft identifizieren. Sofern er es mittelbar zu tun versucht, etwa durch einen nachträglichen Rückgriff auf das Jenseits selbst, bestätigt er in solcher Hintergrundsmetaphysik nur diesen Sachverhalt, so daß er zu dem Eingeständnis gezwungen ist, daß er der Verwirklichung seiner Gottesgemeinschaft in seinem Handeln in Wahrheit gar nicht gewiß ist. Damit aber wird der Vollzug der Aufklärung des ethischen Bewußtseins zur Krise des christlichen Selbstbewußtseins. Kann sich der Christ der Verwirklichung seiner Gottesgemeinschaft in seinem Handeln in der Welt nicht mehr gewiß sein, kann er sich seiner selbst nicht mehr gewiß sein. Die Selbstgewißheit seines Selbstbewußtseins, die er bisher hatte, weil sich das Bewußtsein seiner Gottesgemeinschaft ihm im religiösen Erlebnis zur Gegebenheit gebracht hatte, so daß er es unmittelbar als sein Selbstbewußtsein hatte, zerbricht ihm. Dh. aber, er kann das Bewußtsein seiner Gottesgemeinschaft, in dem er sich dem Jenseits zugehörig weiß, ausschließlich noch so zur Gegebenheit seines Selbstbewußtseins gebracht wissen, daß er es sich unmittelbar durch die Tätigkeit des Jenseits selbst gegeben weiß. Diese Implikation der im Übergang von Troeltsch zu Barth vollzogenen Aufklärung soll an der Umfunktionierung des Gedankens des Gottesreiches der Zukunft für das christliche Selbstbewußtsein aufgezeigt werden. Bei Troeltsch hatte der Gedanke des Gottesreiches der Zukunft für das christliche Selbstbewußtsein die Funktion, das christliche Selbstbewußtsein seine Gegebenheit als Wahrheit wissen zu lassen. Diese Funktionalisierung des Gedankens des Gottesreiches der Zukunft wird greifbar in der Identifikation dieses Gedankens als „Herausgreifung (...) aus dem geschichtlichen Leben, die die lebendige Überzeugung und der handelnde Wille vollzieht in der Gewißheit, hier die absolute Vernunft in ihrer uns zugewandten und im gegenwärtigen Zusammenhang geformten Offenbarung zu erkennen" (GS I, 978). Ist dem Selbstbewußtsein nun seine Selbstgewißheit zerbrochen, kann es den Gedanken des Gottesreiches der Zukunft nicht mehr in der Gewißheit herausgreifen, hier die absolute Vernunft in ihrer ihm zugewandten und im gegenwärtigen Zusammenhang geformten Offenbarung zu erkennen. An und für sich kann es den Gedanken des Gottesreiches der Zukunft nur noch als eine von seinem handelnden Willen und seiner lebendigen Überzeugung vollzogene Herausgreifung aus dem geschichtlichen Leben identifizieren. Es kann in dem Gedanken des Gottesreiches der

Zukunft nur so seiner Gegebenheit als seiner Wahrheit ansichtig zu werden gewiß sein, daß es den Gedanken des Gottesreiches der Zukunft nicht als seine Herausgreifung aus dem geschichtlichen Leben weiß, die sein handelnder Wille und seine lebendige Überzeugung vollziehen, sondern daß es diesen Gedanken unmittelbar als die absolute Vernunft in ihrer ihm zugewandten und im gegenwärtigen Zusammenhang geformten Offenbarung weiß. Dadurch aber wird dann das christliche Selbstbewußtsein im Gedanken des Gottesreiches der Zukunft seiner Gegebenheit als seiner Wahrheit in der Weise ansichtig, daß es in ihm seiner Wahrheit als seiner Gegebenheit ansichtig wird. Barth sagt in Tambach: ,,Die vordringende Herrschaft Gottes ist unser vorher Gegebenes" (50). ,,Wir haben *darum* die Freiheit, mit Gott naiv oder mit Gott kritisch zu sein, weil uns so oder so der Ausblick offen ist auf den Tag Jesu Christi, da Gott alles in allem sein wird" (67). Weil das christliche Selbstbewußtsein in dem Gedanken des Gottesreiches der Zukunft seiner Gegebenheit als Gegebenheit ansichtig wird, ist ihm dann aber dieser Gedanke nicht mehr nur die Offenbarung der absoluten Vernunft in ihrer ihm zugewandten und im gegenwärtigen Zusammenhang geformten Form, sondern in seiner ihm zugewandten und im gegenwärtigen Zusammenhang geformten Form ist er ihm die Offenbarung der absoluten Vernunft selbst. Hier liegt der Grund, daß Barth seine Theologie als orthodoxe Offenbarungstheologie durchführen kann. Die Geschichte ihres Fortgangs verläuft dann unter der Frage, wie die Gegebenheit des Selbstbewußtseins als Gegebenheit vom Menschen gewußt werden könne, nachdem einmal zum Bewußtsein gekommen ist, daß die Gegebenheit des Selbstbewußtseins nur als Gegebenheit gewußt werden kann. Vor der Fortsetzung der Darstellung der Aufklärung des christlichen Selbstbewußtseins durch Barth als dem von Barth gegenüber Troeltsch vollzogenen Schritt ist er jedoch, damit er nicht als subjektloser Schritt erscheint, der sich zwischen Barth und Troeltsch objektiv vielleicht nur auf Grund eines Lesefehlers des Troeltschzitates eingestellt hat, als Barths eigener Schritt zu identifizieren. Gelingt das, dann hat sich obige Interpretation der Umformulierung des Troeltschzitates durch Barth einmal bewährt. Wir identifizieren die Aufklärung des christlichen Selbstbewußtseins durch Barth als den von Barth gegenüber Troeltsch vollzogenen Schritt, indem wir ihn als Barths theoretischen Fortschritt von seiner ersten Auslegung des Römerbriefs zu seinem Vortrag ,,Der Christ in der Gesellschaft" darstellen.

In der Darstellung von Barths Auslegung von Röm 13 war aufgezeigt worden, daß Barth die im Christus eröffnete ,,neue Einigung des Menschen mit Gott" unmittelbar an den Christen selbst identifizierte. Der Begriff, unter dem er das zu leisten versuchte, war der „Christusleib". Die Christen sollten als Einzelne im Christus als das allgemeine Subjekt handeln können und den Aufbau des allgemeinen Subjekts zu geschichtlicher Allgemeinheit realisieren. Die Betrachtung der Durchführung dieses Versuches bei Barth stieß dann aber darauf, daß Barth dabei weder die Allgemeinheit des allgemeinen Subjekts noch die Menschlichkeit der Christen als Einzelne festhalten konnte. Zwar versucht Barth die Allgemeinheit des allgemeinen Subjekts festzuhalten, etwa wenn er schreibt: „Die Menschheit ist durch ihren Fall der unmittelbaren Leitung ihrer irdischen Verhältnisse durch die Gerechtigkeit Gottes entrückt worden... Aber auch jetzt ist allem seine Stellung und vorläufige Aufgabe von Gott angewiesen" (376). Doch ist darin die Allgemeinheit des allgemeinen Subjekts für die Welt in die reine Latenz zurückgenommen: „Krieg, Hunger und Pestilenz nehmen ihren Lauf wie sie müssen in der Gottes Reich entfremdeten und doch Gottes Willen nicht entzogenen Welt. Nicht Gottes Schöpfung und Stiftung sind diese Kräfte in ihrer jetzigen Existenzweise und unterstehen doch auch als Entartungen göttlicher Absichten seiner obersten Leitung" (376). Daß sie „seiner obersten Leitung" unterstehen, bleibt für die Christen eine leere Behauptung, da die Aktualisierung der Allgemeinheit des allgemeinen Subjekts in der Welt auf sie gestellt ist, sofern sie für den „stillen jenseitigen Aufbau eines neuen Menschenwesens nach der Ordnung Gottes", durch welchen die Restituierung der Schöpfung erfolgen soll, verantwortlich gemacht werden. Wird die Aktualisierung der Allgemeinheit des allgemeinen Subjekts in der Welt aber von der Praxis der Christen abhängig gemacht, dann geht dem allgemeinen Subjekt in dem Sinne seine Allgemeinheit verloren, daß es nicht mehr an sich selbst als allgemeines Subjekt denkbar ist. Dies zeigt sich dann in der Auslegung von Röm 13 etwa darin, daß Barth die „im Christus kommende Revolution" (381) einmal beschreibt als „die absolute Revolution von Gott aus" (379), dann aber die Absolutheit dieser Revolution durch die christliche Praxis, die als solche unmittelbar nicht Gottes Praxis ist, bedingt denkt, indem er die Christen auffordert: „... schafft an ihrer Voraussetzung" (387). Zugespitzt läßt sich dann sagen, daß nach Barths Ausführungen von 1918 Gott seine Gottheit erst durch die christliche Praxis wiedergewinnt, dadurch nämlich, daß die Christen im Christus das allgemeine Subjekt zu geschichtlicher Allgemeinheit aufbauen, während Gott dort, wo dieser Aufbau noch nicht vollzogen ist, wie etwa in der Politik, „noch nicht Gott sein kann" (385). Freilich ist damit auch die Menschlichkeit der Christen gefährdet, sofern sie als bloße Einzelne, die sie an sich sind, sich selbst fremd sein müssen.

Nur im Christus, wo sie als bloße Einzelne in die Einheit des allgemeinen Subjekts aufgehoben sind, haben sie ihr wahres Wesen. Um das zu realisieren, müssen sie sich aber ihre geschichtliche Existenz als Einzelne, wie sie sich individuell etwa im politischen Handeln konkretisiert, veräußerlichen. Sie müssen ihre Seelen den Idealen des Staates entfremden und sind in solcher Entfremdung sich selbst in der Welt entfremdet. Weil sie „das Göttliche göttlich vertreten" (387), wenn sie ihre Einheit mit dem allgemeinen Subjekt im Christus realisieren, ist ihnen das Menschliche, das sie als bloße Einzelne charakterisiert, fremd. In seinem Tambacher Vortrag scheint Barth nun zunächst wiederum unmittelbar die Christen als das allgemeine Subjekt in Anspruch nehmen zu wollen, wenn er einleitend feststellt: „*Der Christ* in der Gesellschaft! ... Also ein neues Element mitten unter all dem Alten, also eine Wahrheit im Irrtum und in der Lüge, also eine Gerechtigkeit in dem Meer von Ungerechtigkeit, also Geist in all den groben materiellen Tendenzen, also gestaltende Lebenskraft in all den schwachen flackernden Geistbewegungen, also Einheit in der ganzen Zerfahrenheit der Gesellschaft auch unserer Zeit" (33f). Dann aber formuliert er hart daneben, nicht nur gegen die Erwartungen seiner religiös-sozialen Zuhörer gerichtet, sondern auch in Korrektur seiner eigenen Ausführungen im ersten Römerbrief, in dem er die Christen selbst im Christus als allgemeines Subjekt zu konstruieren versucht hatte: „*Der Christ* — wir sind wohl einig darin, daß damit *nicht die Christen* gemeint sein können... Der Christ ist *der Christus*" (34). Diese Betonung der Nichtidentität der Christen und des Christus und die exklusive Identifikation des Christus als allgemeines Subjekt, das als „gestaltende Lebenskraft" „Einheit" in die Zerfahrenheit der Gesellschaft bringt, ist gegenüber 1918 neu bei Barth. Doch ist diese exklusive Identifikation des allgemeinen Subjekts im Christus für Barth nun nicht Anlaß, der Subjektivität des einzelnen Christen den Abschied zu geben. Indem Barth fortfährt: „Der Christ ist das in uns, was nicht wir sind, sondern Christus in uns", erweist sich vielmehr die Betonung der Nichtidentität der Christen und des Christus als Zwischenschritt, um in der Formel: „Christus in uns", dann doch den Christus und die Christen, das allgemeine Subjekt und das einzelne Subjekt unter Voraussetzung ihrer Nichtidentität zur Einheit zusammenzuschließen.

Die Einheit, zu der Barth unter der Formel „Christus in uns" 1919 das allgemeine Subjekt und das einzelne Subjekt zusammenschließt, ist nun näher zu betrachten. Barth formuliert: „Dieses ‚Christus in uns' ... bedeutet ... eine Voraussetzung. ‚Über uns', ‚hinter uns', ‚jenseits uns' ist gemeint mit dem Wort ‚in uns'" (34), und er realisiert damit, daß die Einheit des allgemeinen und des einzelnen Subjekts nur so statthaben kann, daß der Einzelne das allgemeine Subjekt strikt als seine Voraussetzung hat. Gegenüber 1918 bedeutet das, daß nun nicht mehr die Christen selbst im Christus unmittelbar die Position des allgemeinen Subjekts innehaben. Sie selbst als einzelne geschichtliche Subjekte können nicht mehr als „prinzipiell revolutionär" bezeichnet werden. Auch sind nicht mehr sie diejenigen, die durch ihr Handeln den Aufbau der neuen Welt realisieren. Vielmehr ist die Position, die den Ort radikaler Kritik und umfassender Konstruktion bezeichnet, eben die Position des allgemeinen Subjekts, exklusiv durch den Christus besetzt, so daß Barth die Formel „Christus in uns" auslegen kann als „ein kritisches Nein und ein schöpferisches Ja gegenüber allen Inhalten unseres Bewußtseins" (34). Nur als durch das allgemeine Subjekt bestimmte Einzelne sind die Christen mit diesem zur Einheit zusammengeschlossen, was eine vollständige Mediatisierung ihrer individuellen Bewußtseinsinhalte einschließt. Sind nun aber die einzelnen Christen als durch das allgemeine Subjekt bestimmt mit diesem verbunden, dann sind sie in dieser Hinsicht zugleich mit allen einzelnen Menschen zusammengefaßt, so daß Barth seine Zuhörer im Blick auf das „Christus in uns" ermahnen kann: „... wir werden wohl daran tun, den Zaun, der Juden und Heiden, der sogenannte Christen und sogenannte Nichtchristen, Ergriffene und Nicht-Ergriffene trennte, nicht wieder aufzurichten. Die Gemeinde Christi ist ein Haus, das nach allen Seiten offen ist; denn Christus ist immer auch für die andern, für die, die draußen sind, gestorben" (34). Im Unterschied zu Barths Ausführungen von 1918 muß nun nicht durch christliche Praxis „die Gemeinschaft ... erst gesucht und geschaffen werden" (Röm1, 368), in der die Christen mit den noch Fremden verbunden sind, sondern diese Gemeinschaft bildet nun für die Christen die im Christus realisierte Voraussetzung. Die Einheit, zu der Barth in der Formel „Christus in uns" das allgemeine Subjekt und die einzelnen Subjekte zusammenfaßt, liegt somit darin, daß er das allgemeine Subjekt strikte als das alle Menschen bestimmende Subjekt auslegt.

Doch hat Barth damit die Einheit des allgemeinen und des einzelnen Subjekts erst so dargetan, daß sie im Blick auf das allgemeine Subjekt, den Christus, ausgesagt ist. Unter der Frage: „Aber *ist* Christus in uns? Ist Christus auch in der heutigen Gesellschaft?", versucht er diese Einheit des Einzelnen mit dem allgemeinen Subjekt nun auch am Bewußtsein des Einzelnen zu identifizieren. Er schreibt: „Christ der Retter ist *da* — sonst wäre die Frage nicht da, die der heimliche Sinn all der Bewegungen unserer Zeit ist und die uns in diesen Tagen als die Unbekannten und doch bekannt hier zusammengeführt hat. Es gibt Fragen, die wir gar nicht aufwerfen könnten, wenn nicht schon eine Antwort da wäre, Fragen, an die wir nicht einmal herantreten könnten ohne den Mut jenes augustinischen Wortes: Du würdest mich nicht suchen, wenn du mich nicht schon gefunden hättest!" (34) Mit diesen Ausführungen macht Barth die Frage nach einer anderen Gesellschaft, die er als die Frage der in Tambach versammelten Religiösen-Sozialisten (dort 33) und als den Sinn anderer Bewegungen seiner Zeit diagnostiziert, daraufhin durchsichtig, daß diejenigen, die solche Fragen aufwerfen, bereits damit als Voraussetzung betätigen, daß sie mit dem allgemeinen Subjekt zur Einheit zusammengeschlossen sind. Denn die Frage nach einer anderen Gesellschaft zielt im Sinne Barths nicht bloß auf die Veränderung der bestehenden Gesellschaft, die nach Barth 1919 gerade gezeigt hat, daß in ihr „trotz aller Veränderungen und Umwälzungen alles im Alten ist". Sie impliziert vielmehr den Wunsch: „Wir möchten *heraus* aus dieser Gesellschaft." Der Wunsch, „wir möchten eine *andere* Gesellschaft", geht aufs Ganze. Indem der Einzelne aber sowohl in seiner Ablehnung der bestehenden Gesellschaft, aus der er heraus möchte, wie in seinem Wunsch nach einer anderen Gesellschaft, in der nicht „alles im Alten", sondern wirklich Neues ist, aufs Ganze geht, stellt er sich auf den Standpunkt des allgemeinen Subjekts, setzt in solchen Wünschen und in solcher Ablehnung für sich seine Einheit mit dem allgemeinen Subjekt voraus. Denn nur, indem er für sich seine Einheit mit dem allgemeinen Subjekt voraussetzt, kann er als Einzelner aufs Ganze gehen. Weil er dann aber doch als Einzelner eben nicht an sich selbst das allgemeine Subjekt ist, das effektiv eine andere Gesellschaft hervorbringt, ist des näheren dann dieses Herantreten an die Frage nach einer anderen Gesellschaft als Ausdruck seines individuellen Mutes zu begreifen. In der Frage nach einer anderen Gesellschaft betätigt der Einzelne den Mut, für sich seine Einheit mit dem allgemeinen Subjekt vorauszusetzen. Barth charakterisiert diesen Mut als „den Mut jenes augustinischen Wortes: Du würdest mich nicht suchen, wenn du mich nicht schon gefunden hättest!" (34, vgl. auch 72) Die Einheit des Einzelnen mit dem allgemeinen Subjekt wird vom Einzelnen mutig als für ihn bestehende Voraussetzung betätigt. Soll diese Voraussetzung nun aber nicht nur mutig betätigt, sondern vom Einzelnen als für ihn selbst konstitutiv erfaßt werden, dann reicht es nicht, daß er sich vorgängig in seinem gesellschaftlichen Wollen und Wünschen als in Einheit mit dem allgemeinen Subjekt stehend verhält, sondern er muß sich selbst als durch die dabei mutig vollzogene Voraussetzung bestimmt bestimmen. Weil er sich erst so in Einheit mit dem allgemeinen Subjekt wissen kann, fordert Barth seine religiös-sozialen Zuhörer, die eine andere Gesellschaft möchten, auf: „Wir müssen uns zu dem Mut, den wir *haben, bekennen"* (34). Erst dort, wo sich der Einzelne, der den Mut hat, für sich seine Einheit mit dem allgemeinen Subjekt vorauszusetzen, zu diesem Mut bekennt, eignet er sich die an sich bereits mutig als Voraussetzung betätigte Einheit seiner selbst mit dem allgemeinen Subjekt als seine Voraussetzung an. Im Bekenntnis zu seinem Mut bestimmt er sich als durch seine Einheit mit dem allgemeinen Subjekt bestimmt und gewinnt das Bewußtsein seiner Einheit mit dem allgemeinen Subjekt. Damit hat Barth die Einheit des Einzelnen und des allgemeinen Subjekts auch für das Bewußtsein des Einzelnen fixiert. Im Bekenntnis zu seinem Mut wird sich der Einzelne seiner Einheit mit dem allgemeinen Subjekt bewußt. Nach dem, was Barth zuvor über den Christus als allgemeines Subjekt gesagt hatte, kann er dann aber den Satz: „Wir müssen uns zu dem Mut, den wir *haben, bekennen"*, fortsetzen: „Indem wir es tun, bekennen wir uns zu Christus, zu seiner Gegenwart und zu seiner Zukunft." Diese Explikation ist nun in ihrem präzisen Sinn zu begreifen, denn indem der Einzelne sich im Bekenntnis zu seinem Mut als durch seine Einheit mit dem allgemeinen Subjekt bestimmt bestimmt, bekennt er sich eben damit zum Christus als dem ihn als Einzelnen bestimmenden allgemeinen Subjekt. Indem Barth das Bekenntnis zum eigenen Mut als das Bekenntnis zum Christus expliziert, entwickelt er die von ihm zunächst nur am Christus identifizierte Einheit des Einzelnen mit dem allgemeinen Subjekt als eine durch die Tätigkeit des Einzelnen vermittelte Einheit. Sein Bestimmtsein durch das allgemeine Subjekt wird sichtbar als Resultat derjenigen Tätigkeit, in der sich der Einzelne, um der Einheit seiner selbst mit dem allgemeinen Subjekt willen, als durch seine Einheit mit dem allgemeinen Subjekt bestimmt bestimmt. Das Bekenntnis zum Christus ist dann aber diejenige Form, in der der Einzelne das Bewußtsein seiner Einheit mit dem allgemeinen Subjekt unmittelbar und gegenständlich zum Ausdruck bringt. Er anerkennt den Christus als das allgemeine Subjekt, das ihn bestimmt, so daß er im Bekenntnis zum Christus das Bewußtsein seiner Einheit mit dem allgemeinen Subjekt hat. Diese gegenständliche Fassung des Bewußtseins seiner Einheit mit dem allgemeinen Subjekt verwahrt dabei dasjenige Moment, daß der Einzelne sich unmittelbar nur so in Einheit mit dem allgemeinen Subjekt stehend wissen kann, daß er mittelbar alle Menschen durch das allgemeine Subjekt bestimmt sein läßt. Das allgemeine Subjekt bestimmt als allgemeines nicht nur ihn, den einzelnen Mutigen, der seine Einheit mit dem allgemeinen Subjekt für sich vorauszusetzen wagt, sondern als allgemeines Subjekt alle Menschen. Darin liegt dann aber der gedankliche Fortschritt, den Barth in dem Einleitungsteil seines Vortrags in der Explikation der Einheit des Einzelnen mit dem allgemeinen Subjekt macht, daß er keine Identität der Christen und des Christus im Christusleib mehr voraussetzt, sondern realisiert, daß der einzelne Christ das Bewußtsein seiner Einheit mit dem allgemeinen Subjekt nur so haben kann, daß er sich durch seine Einheit mit dem allgemeinen Subjekt bestimmt bestimmt und darin für sich alle Menschen durch das allgemeine Subjekt bestimmt sein läßt.

Das derart gefaßte christliche Bewußtsein erlebt nun aber seine Katastrophe, sobald der Christ sich mit solchem Bewußtsein der Welt zuwendet. Der Christ erlebt, daß er das Bewußtsein seiner Einheit mit dem allgemeinen Subjekt nur für sich hat. Er ist nicht mit allen Menschen zur Einheit unter dem allgemeinen Subjekt zusammengeschlossen. Vielmehr sieht er: ,,Als besondere Leute neben andern Leuten erscheinen uns die Christen, als besondere Sache neben anderen Sachen das Christentum, als eine besondere Erscheinung neben anderen Erscheinungen Christus'' (35). Die von ihm gewußte Einheit seiner selbst mit dem allgemeinen Subjekt muß ihm damit aber auch für sich selbst fraglich werden, da es für ihn ,,kein Drinnen geben kann, solange es ein Draußen gibt'' (35). Drinnen und Draußen müßten für ihn, der sich durch seine Einheit mit dem allgemeinen Subjekt bestimmt bestimmt, durch das allgemeine Subjekt gleichermaßen bestimmt sein. Sein Wunsch: ,,So gerne, ach so gerne würden wir heute die Gesellschaft in Christus begreifen, in Christus erneuern'' (37) reflektiert die Erfahrung, daß er das Bewußtsein seiner Einheit mit dem allgemeinen Subjekt in der Welt nicht realisiert findet, als seine Not. Versucht er in dieser Lage aber, das Bewußtsein seiner Einheit mit dem allgemeinen Subjekt von sich aus zu realisieren, also die Gesellschaft in Christus zu erneuern, dann kann er das nur unter Preisgabe des ihm eigentümlichen Bewußtseins; denn was immer er tut, es wird ihm zur Widerlegung des Bewußtseins seiner Einheit mit dem allgemeinen Subjekt. Das, was er realisiert, ist, sofern er hier als Einzelner handelt, als solches gerade für ihn nicht durch das allgemeine Subjekt bestimmt. Vielmehr tut sein Handeln dem Abbruch, was seiner eigenen Voraussetzung nach dem allgemeinen Subjekt zuständе, das allgemeine Bestimmen. Barth beschreibt diesen für den Christen bestehenden Abweg als Säkularisierung: ,,Ja, Christus zum soundsovielten Male zu *säkularisieren,* heute z.B. der Sozialdemokratie, dem Pazifismus ... dem Schweizertum und Deutschtum, dem Liberalismus der Gebildeten zu Liebe, *das* möchte uns allenfalls gelingen. Aber nicht wahr, da graut uns doch davor, wir möchten doch eben Christus nicht ein neues Mal verraten'' (36). Versucht der Christ dagegen, aus seiner Einheit mit dem allgemeinen Subjekt heraus, mit dem er sich zur Einheit zusammengeschlossen weiß, unter Berufung auf diese von ihm gewußte Einheit, die Welt zu einer durch das allgemeine Subjekt bestimmten zu gestalten, ist ihm der Vorwurf der Klerikalisierung zu machen. Wohl kann der Einzelne versuchen, „der weltlichen Gesellschaft einen kirchlichen Überbau oder Anbau anzugliedern ..., die Gesellschaft zu *klerikalisieren"* (38), doch würde er damit „den gefährlichsten Verrat an der Gesellschaft" begehen (38). Er bestritte ihr praktisch ihr Bestimmtsein durch das allgemeine Subjekt, also jene Bestimmung, die er im Bewußtsein seiner Einheit mit dem allgemeinen Subjekt für sich der Gesellschaft beilegte.

Angesichts dieser Katastrophe des christlichen Bewußtseins, das sich in der Welt nicht als es selbst wissen kann, muß der Mut des Einzelnen, mit dem er unmittelbar seine Einheit mit dem allgemeinen Subjekt für sich voraussetzte, zum reinen Trotz werden; denn er muß seinen Mut, mit dem er für sich seine Einheit mit dem allgemeinen Subjekt voraussetzte, angesichts der Erfahrung, die er mit diesem Bewußtsein an der Welt macht, daß er sich nämlich an und für sich nicht in Einheit mit dem allgemeinen Subjekt stehend wissen kann, gegen diese Erfahrung durchhalten. Weil ihm nichts in der Welt die Behauptung seiner Einheit mit dem allgemeinen Subjekt bestätigt, muß er sich unbedingt auf sich selbst stellen. Sofern er dann aber seine Einheit mit dem allgemeinen Subjekt in der Welt der Welt gegenüber behauptet, hat er in solchem Trotz das ihm eigentümliche Bewußtsein der Gottesgemeinschaft als sein Selbstbewußtsein in der Welt. Der einzige Ort, an dem er das Bewußtsein seiner Einheit mit dem allgemeinen Subjekt mit der Erfahrung, daß er diese Einheit durch nichts in der Welt bestätigt findet, zur Einheit seines Selbstbewußtseins vermittelt wissen kann, ist dann aber das allgemeine Subjekt selbst. Im Rückblick auf seine Darstellung der Unvermitteltheit des sich an der Welt seiner Vermittlungslosigkeit innewerdenden Bewußtseins des Einzelnen von seiner Einheit mit dem allgemeinen Subjekt schreibt Barth: „Wir hatten wohl schon dort den Eindruck, daß es bei dieser Absonderung des Heiligen vom Profanen nicht sein Bewenden haben könnte. Gott wäre nicht Gott, wenn es damit sein Bewenden hätte. Es *muß* ja *dennoch* einen Weg geben von dort nach hier" (42). Damit rekurriert Barth auf die Allgemeinheit des allgemeinen Subjekts, mit dem der Einzelne in Einheit zu stehen für sich voraussetzte, als den implizit immer schon in Anspruch genommenen Grund, dessentwegen sich der Einzelne allein seiner Einheit mit dem allgemeinen Subjekt in der Welt bewußt sein kann. Barth expliziert den Satz: „Es *muß* ja *dennoch* einen Weg geben von dort nach hier" in dem anderen: „Mit diesem ‚Muß' und mit diesem ‚Dennoch' bekennen wir uns zum Wunder

der *Offenbarung* Gottes" (42f). Damit transformiert Barth den Trotz des Einzelnen, der sich in der Welt nicht in Einheit mit dem allgemeinen Subjekt stehend wissen kann, aber gleichwohl für sich diese Einheit in der Welt behauptet, in das Bekenntnis zum „Wunder der *Offenbarung* Gottes". Weil der Einzelne an und für sich seine Einheit mit dem allgemeinen Subjekt in der Welt nicht wissen kann, transformiert Barth den Trotz des Einzelnen in das Bekenntnis zum Wunder. Weil der Einzelne an und für sich seine Einheit mit dem allgemeinen Subjekt in der Welt nur als durch das allgemeine Subjekt vermittelt wissen kann, transformiert Barth den Trotz des Einzelnen in das Bekenntnis zum Wunder Gottes. Weil der Einzelne an und für sich seine Einheit mit dem allgemeinen Subjekt in der Welt für sich nur als durch das allgemeine Subjekt vermittelte Einheit wissen kann, transformiert Barth den Trotz des Einzelnen in das Bekenntnis zum Wunder der Offenbarung Gottes. Betrachtet man diese Transformation nun daraufhin, was Barth damit für das christliche Selbstbewußtsein leistet, so zeigt sich, daß das christliche Selbstbewußtsein durch solche von Barth vorgenommene Transformation die Möglichkeit erhält, sich selbst im Bekenntnis zum Wunder der Offenbarung Gottes als Gegebenheit zu wissen. Mit dieser Feststellung trifft sich unsere Darstellung des von Barth 1919 gegenüber seiner Auslegung des ersten Römerbriefs gemachten Fortschritts mit unserer Interpretation der Umformulierung des Troeltschzitates durch Barth im gleichen Vortrag.

Weil sie sich treffen, kann dann aber auch der von Barth gemachte Fortschritt noch einmal von dem von Troeltsch repräsentierten Standpunkt aus betrachtet werden, so daß dann eine Dialektik der Aufklärung sichtbar gemacht werden kann, deren Aufdeckung ihren Stillstand verhindern hilft. Barths Theologie wird ihrerseits transparent für das sich darin ausarbeitende gegebene christliche Selbstbewußtsein, das auch dort als Subjekt der Theologie fungiert, wo es sich permanent zurückzustellen versucht, um die Gegebenheit des Selbstbewußtseins rein als Gegebenheit zur Darstellung zu bringen. Barth hat in seinem Tambacher Vortrag, theologiegeschichtlich zunächst nur für sich selbst, als Theologe die Gegebenheit seines Selbstbewußtseins über sein geschichtliches Gegenstandsbewußtsein, das ihm in der christlichen Überlieferung den Gedanken des Wunders der Offenbarung tradierte, sich zur Gegebenheit gebracht. Er hat das getan, was das christliche Selbstbewußtsein nach Troeltsch tut, um seiner Gegebenheit als Wahrheit inne zu werden und seine Konsistenz zu gewinnen. Er hat, und die obige Beschreibung zeigt, in welchen Worten, seinen „handelnde(n) Wille(n)" und seine „lebendige Überzeugung" geltend gemacht und „aus dem geschichtlichen Leben" den Gedanken des Wunders der Offenbarung Gottes herausgegriffen „in der Gewißheit, hier die absolute Vernunft in ihrer uns zugewandten und im gegenwärtigen Zusammenhang geformten Offenbarung zu erkennen" (GS I, 978). Damit aber ist die Möglichkeit gewiesen, die Dialektik der Aufklärung in Gang zu halten.

Die Erfassung des christlichen Selbstbewußtseins als Gegebenheit hat bei Barth nun 1919 freilich noch etwas Gequältes, sofern er das Bewußtsein der Gegebenheit des Selbstbewußtseins aus dessen Mut und Trotz hervorgehen läßt. Zwar sagt Barth schon über den „Mut, es mit Gott zu wagen" (43): „Das ist kein Tun des Menschen, sondern das Tun Gottes im Menschen" (43), doch gelingt es ihm noch nicht, dieses Tun Gottes im Menschen auch als Gottes Tun zu denken. Die Transformation des Trotzes des Einzelnen, der sein Selbstbewußtsein für sich in der Welt als Gegebenheit behauptet, in dessen Bekenntnis zum Wunder der Offenbarung Gottes erreicht noch nicht, was sie soll, die Gegebenheit des Selbstbewußtseins als Gegebenheit darstellen. Faktisch ist alle Last für das christliche Selbstbewußtsein erst in das Bekenntnis gelegt, dessen Vollzug aber, solange nicht als Tun Gottes, sondern als Tun des Menschen gedacht, diesen in den Widerspruch stellt, daß er, indem er das Bekenntnis vollzieht, durch das er die Gegebenheit seines Selbstbewußtseins als Gegebenheit erfaßt, zugleich verliert, was er darin ergreift. Er kann im Bekenntnisakt als Akt die Gegebenheit seines Selbstbewußtseins nicht mehr als Gegebenheit wissen. Obwohl Barth auf jeden Appell, anders als in der Auslegung des ersten Römerbriefes, verzichten will, wenn er feststellt: „Es gibt nur *eine* Lösung, und die ist in Gott selbst" (39), kann er bei seiner 1919 vorgetragenen Problemlösung dieses doch noch nicht einlösen. Indem er die Gegebenheit des christlichen Selbstbewußtseins am Orte dessen eigener Unmittelbarkeit als Gegebenheit denkt, entsteht für dieses vielmehr der Appell, nicht nur an sich sondern, weil es im Wunder der Offenbarung Gottes seine Gegebenheit als Gegebenheit für alle weiß, auch für sich diese Gegebenheit überall zu erkennen und zu verwirklichen, damit es dadurch an und für sich die Gegebenheit seines Selbstbewußtseins als Gegebenheit wisse. In Barths Vortrag findet das darin seinen Ausdruck, daß er im Begriff der Gottesgeschichte und der erkennenden Teilnahme der Christen daran zeitanalytisch die Gegebenheit des Selbstbewußtseins besonders dort als Gegebenheit identifiziert, wo sie augenfällig zu werden scheint, dort, wo etwa „Autorität an sich ... Familie an sich ..., ... Kunst an sich, ... Arbeit an sich ..., ... Religion an sich" (46) in Frage gestellt zu werden scheinen. Aus dem gleichen Grunde fügt Barth dann aber auch dem veränder-

ten Troeltschzitat: „Die Kraft des Jenseits ist die Kraft des Diesseits" hinzu: „und wir fügen hinzu: sie ist die Kraft der Bejahung
und die größere Kraft der Verneinung"[178]. In den von Barth verwendeten Argumentationsfiguren findet dieses unaufgeklärte Moment darin seinen Niederschlag, daß Barth die Verneinung als Antithesis der Synthesis näher sein läßt als die Thesis, obwohl er grundsätzlich schreibt: „Die Kraft der Thesis, und die Kraft der Antithesis wurzeln in der ursprünglichen, absolut erzeugenden Kraft der
Synthesis" (65). 1919 steht noch die Verneinung, dem „regnum
gratiae" (64) zugeordnet, dem „regnum gloriae" (68) näher als die
Bejahung, die dem „regnum naturae" (58) zugeordnet ist. Dieser
appellative Zug wird zum Verschwinden gebracht, sobald Barth einen Weg gefunden hat, die Gegebenheit des christlichen Selbstbewußtseins als Gegebenheit zu denken. 1919 schreibt Barth noch:
„Wir haben versucht, uns zu *erinnern* an das, was wir vergessen haben, und immer wieder vergessen, an Gottes Offenbarung und an
unsern Glauben" (Vorträge I, 48). 1922 sagt er ganz in Übereinstimmung mit dieser Erinnerung: „Glaube und Offenbarung sind

---

178 Am Schluß seines Vortrags schreibt er sogar: „Aus *größter* Distanz und eben darum
aus *größter* Einsicht in die Dinge werden wir im Blick auf das regnum gloriae unsere
Entschlüsse fassen und der Kurzschlüsse zur Rechten und zur Linken werden dabei
allmählich weniger werden" (68). Aber noch bevor Barth den Vortrag hält, läßt er
diesen Schluß für sich fallen. Er schreibt an Thurneysen am 11.9.1919 über seinen
Vortrag: „Sein Ende befriedigt mich beim Lesen doch nicht recht, dieses ‚Ende gut,
Alles gut' riecht einfach ein wenig kirchlich" (Werke V/3, 344). Barth verarbeitet
in seinem Vortrag vom 25.9.1919 ältere Gedanken, die er am 9.6.1919 vor einer
CSV-Versammlung in Aarburg vorgetragen hatte unter dem Thema: „Christliches
Leben" (Werke V/3, 334). Am 2. September schreibt Barth an Thurneysen „Über
den ‚Christ in der Gesellschaft': Mein Referat stelle ich mir vor auf den Linien des
an Pfingsten in Aarburg Vorgebrachten; also große Entfaltung der drei Reiche usf."
(Werke V/3, 344). Das unveröffentlichte Aarburger Referat stellt Barth Thurneysen
in einem Brief vom 10.6.1919 folgendermaßen vor: „Die Hauptsache waren einige
Vorlesungen aus dem Prediger, aus 1 Kor 15, Kol 1 und Offenbarung (bedenke, daß
ich nur die Nacht zwischen Sonntag und Montag zur Verfügung hatte!). Doch kamen
beim Vortrag die drei Regna: narurae, gratiae, gloriae wenigstens soweit deutlich hervor, um das gebührende Befremden zu erregen" (Werke V/3, 333). Tatsächlich bestimmt eine Behandlung der drei „regna" im Tambacher Vortrag die letzten drei der
insgesamt fünf Abschnitte. Auch die häufige Zitation des Predigers (52, 58, 68f), des
ersten Korintherbriefs (49, 63, 66) und des Kolosserbriefes (34f, 50, 60) fällt in diesen drei Teilen auf. Eine zweite Quelle, aus der Barth für seinen Tambacher Vortrag
schöpft, ist der Vortrag seines Bruders Heinrich Barth, „Gotteserkenntnis" (Vorträge
an der Aarauer Studentenkonferenz, 1919, 35–79, jetzt in Anfänge I). Im gleichen Brief an Thurneysen schreibt er: „Heiners Vortrag hat mit Wind und Gegenwind mächtig auf meine Fahrt eingewirkt" (Werke V/3, 344). Heinrich und Karl Barth
arbeiten in ihren Vorträgen mit der Kategorie des Ursprungs, den sie als archimedischen Punkt anvisieren (Vorträge I, 40, 48 und Anfänge I, 238).

128

die ausdrückliche Leugnung, daß es einen Weg vom Menschen zu Gottes Gnade, Liebe und Leben gibt. Beide Worte besagen, daß hier ausschließlich der *Weg Gottes* zum *Menschen* in Betracht kommt" (dort 154). Dann aber fährt Barth fort, und das wurde 1919 in Tambach noch nicht über Glaube und Offenbarung gesagt: „Zwischen diesen beiden Worten aber stehen ... noch zwei andere Worte. Sie heißen *Jesus Christus*" (154). Damit ist über den Weg Gottes zu den Menschen festgestellt: „... es gibt keinen Weg zu diesem Weg, sondern der Weg ist selber der Weg zu diesem Weg" (155). Die christologische Explikation macht den „Mut, es mit Gott zu wagen", als Tun Gottes im Menschen denkbar, so daß die Gegebenheit des Selbstbewußtseins als Gegebenheit nicht mehr unmittelbar am Ort des christlichen Selbstbewußtseins sondern in der Christologie gedacht wird. Barth setzt dieses Mittel nicht erst 1922 ein. In einem Brief schon vom 17. März 1920 bezeichnet er für den im April 1920 vorgesehenen Vortrag: „Biblische Fragen, Einsichten und Ausblicke" die Christologie als den „kritischen Mittelpunkt" (Werke V/3, 374). Kirsch schreibt in ihrer Analyse dieses Vortrages: „Im Hinblick auf den Tambacher Vortrag erscheint es konsequent, wenn Barth den dort beschrittenen Weg in der Weise fortsetzt, daß er 1. die Synthesis-Thesis-Antithesis-Struktur ersetzt durch die Dialektik von Position und Negation und 2. sie material interpretiert als Dialektik von Kreuz und Auferstehung Jesu Christi" (Kirsch, 180). Die von Kirsch konstatierte Konsequenz wäre dann darin zu sehen, daß Barth das Interesse verfolgt, die Gegebenheit des Selbstbewußtseins rein und ohne Appell als Gegebenheit für den Menschen vorstellig zu machen.

6. Die Folgen der Aufklärung

Für das Verhältnis von Ethik und Dogmatik ist damit jene Problemkonstellation erreicht, die Barth später in der Überordnung der Dogmatik über die Ethik ausarbeitet. Daß die Ethik, auch die prinzipielle Ethik nicht mehr der Boden sein kann, auf dem die Wahrheit des christlichen Selbstbewußtseins zur Darstellung gebracht werden kann, ist bereits 1919 deutlich. Ist die „Kraft des Jenseits die Kraft des Diesseits", dann ist das menschliche Handeln, als dessen Subjekt der Mensch sich weiß, als solches für den Menschen nicht mehr wahrheitsfähig. Nur als die Tätigkeit des Jenseits selbst ist die Tätigkeit des Menschen wahrheitsfähig. Als Tätigkeit des Jenseits selbst kann der Mensch sein Handeln aber nicht mehr vollziehen, sondern nur noch wissen. Als Tätigkeit des Jenseits selbst weiß der Mensch sein

Handeln so, daß er sich darin selbst nicht verwirklicht, sondern handelt, so daß sein Handeln sein Selbstbewußtsein, das sich als Gegebenheit weiß, zur Welt bringt. Sofern dann die Wahrheit des Satzes: „Die Kraft des Jenseits ist die Kraft des Diesseits" in der Explikation der Kraft und Tätigkeit des Jenseits selbst offenbarungstheologisch dargetan wird, wird darin sowohl die Gegebenheit des Selbstbewußtseins als Gegebenheit dargestellt, wie auch die Wahrheit der menschlichen Tätigkeit als Tätigkeit des Jenseits selbst durchsichtig gemacht.

Diese Betrachtungen zeigen, daß die Theologie Barths, wie weit sie sich auch weiterentwickelt, sofern sie Aufklärung des Selbstbewußtseins darüber ist, daß es seine Gegebenheit nur als Gegebenheit wissen und haben kann, die exemplarische Form ihrer eigenen Durchführung in der Kritik Troeltschs hat, als eines Theologen, der die Gegebenheit des Selbstbewußtseins an diesem selbst und in dessen Tätigkeit vorzustellen versuchte. Wenn Steck feststellt: „Das neuzeitliche Christentum zu thematisieren, war Sache des Neuprotestantismus, war die Leistung von Ernst Troeltsch, und zu keinem Theologen seiner Zeit stand Barth in stärkerem Gegensatz als gerade zu Ernst Troeltsch" so bestätigt er diese These in historischer Hinsicht. Stecks daran anschließende Frage: „Was soll Neuzeit als Thema Karl Barths?"[179], wäre nach diesen Überlegungen dann damit zu beantworten: Das christliche Selbstbewußtsein in seiner unmittelbar kulturellen Gestalt als neuzeitliches Christentum, wie es bei Troeltsch ausgearbeitet ist, wird bei Barth in der Thematisierung des christlichen Selbstbewußtseins als Gegebenheit aufgehoben, so daß Barths Theologie als Ende des Kulturprotestantismus auftreten mußte, in solcher Aufhebung aber faktisch gerade seine Verwirklichung als neuzeitliches Christentum ermöglichte.

Die dabei waltende Dialektik der Aufklärung zeigt sich etwa in einer Bemerkung zu Troeltsch in dem Vortrag „Das Problem der Ethik in der Gegenwart" von 1922: „Könnte man sich", schreibt Barth dort, „um nur zwei Beispiele zu nennen, die Ethik der *Ritschl*schen Schule auch nur einen Augenblick denken ohne den soliden Hintergrund des fröhlich emporsteigenden deutschen Bürgertums zur Zeit der Konsolidierung der Bismarckschen Reichsgründung? Oder die Ethik *Troeltschs* mit ihrem großen Sowohl — Als auch! ohne die auf den christlichen und speziell auf den christlich-sozialen Einschlag nicht ganz verzichtende neudeutsche Wirtschaftskultur, wie sie etwa in Friedrich Naumann ihren Propheten gefunden hat?"[180] Barth sieht

---

179 Steck/Schellong, Karl Barth und die Neuzeit, 8.
180 Vorträge I, 131.

die Ethik Troeltschs durch ein großes „Sowohl — Als auch!" charakterisiert, weil sich das christliche Selbstbewußtsein seiner Gegebenheit bei Troeltsch einerseits unmittelbar an sich selbst im religiösen Erlebnis gewiß sein zu können meint, andererseits aber auch weiß, daß es sich die Gewißheit seines Gegebenseins nur im Blick auf das Jenseits selbst, im Blick auf den Gedanken des Gottesreiches der Zukunft, erhalten kann. Für die Ethik hat das zur Folge, daß vom Christen sowohl „die immer wieder von der Erfahrung gepredigte Unmöglichkeit, das Ideal voll zu begreifen und zu verwirklichen" (GS I, 979) anerkannt werden muß, als auch im Blick auf den Gedanken des Gottesreiches der Zukunft wieder bestritten werden kann, so daß er den skeptischen Konsequenzen der zuerst gemachten Erfahrung für sich, an und für sich bei aufgeklärter Betrachtung aber eben nicht, entrinnt. Weil er, unaufgeklärt über sich selbst, dann aber gewiß sein zu können meint, ihr entronnen zu sein, umgibt sich für ihn seine Tätigkeit mit dem Schein, in ihr verwirkliche sich an und für sich seine Gottesgemeinschaft. Er identifiziert seine Hervorbringung wegen des von ihm damit verbundenen Sinnes, unmittelbar als „Annäherungswerte" an die „endgültige (...) Verwirklichung des Absoluten" (979). Für Troeltsch „tritt Rankes tiefsinniges Wort ... in sein Recht, daß jede Epoche — nicht mit ihrer groben Wirklichkeit, aber mit ihren von ihr selbst instinktiv gebildeten Idealen und Zielen — unmittelbar ist zu Gott" (977). Diese These konkretisiert er in seinen „Soziallehren" weiter: „Sie ist es auch in der Bemeisterung der aus der Naturgrundlage, der wirtschaftlich-sozialen Lage, den politischen Machtverhältnissen folgenden Aufgaben durch die Idee, wobei die Idee von dem von ihr bemeisterten Stoffe nie unabhängig sein kann und oft genug von ihm in Bewegung gesetzt ist" (977). Das aufgeklärte christliche Selbstbewußtsein, das weiß, daß es die Verwirklichung seiner Gottesgemeinschaft in seiner Tätigkeit unmittelbar nur als verborgene Verwirklichung, als Tätigkeit des Jenseits selbst, dh. aber an und für sich gar nicht wissen kann, bringt sich gegen das unaufgeklärte Selbstbewußtsein dann aber so zur Geltung, daß es dessen Tätigkeit überhaupt nicht mehr als Tätigkeit des christlichen Selbstbewußtseins gelten läßt. Der „Bemeisterung der aus der Naturgrundlage, der wirtschaftlich-sozialen Lage, den politischen Machtverhältnissen folgenden Aufgaben durch die Idee" wird der Anspruch, christliche Verwirklichung zu sein, unmittelbar bestritten. Sie wird identifiziert als Verwirklichung der „aus der Naturgrundlage, der wirtschaftlich-sozialen Lage, den politischen Machtverhältnissen folgenden ... Idee, wobei die Idee ... von dem Stoff in Bewegung gesetzt ist" (977). Wenn Barth schreibt: „Könnte man sich ... die Ethik *Troeltschs* mit ihrem großen Sowohl

— Als auch! ohne die auf den christlich und speziell auf den christlich-sozialen Einschlag nicht ganz verzichtende neudeutsche Wirtschaftskultur, wie sie etwa in Friedrich Naumann ihren Propheten gefunden hat", denken?, dann bringt er genau dieses der Aufklärung innewohnende destruktive Moment gegen Troeltsch zur Geltung. Troeltschs Ethik ist bloß Ausdruck seiner Zeit, aber nicht seiner selbst. Weil die Gegebenheit des christlichen Selbstbewußtseins nur als Gegebenheit identifiziert werden darf, müssen alle Versuche, sein Gegebensein unmittelbar an ihm selbst oder an seinen Hervorbringungen zu identifizieren, als Abirrungen von seiner Gegebenheit verworfen werden.

1932 bringt Barth das aufgeklärte christliche Selbstbewußtsein im Mythologievorwurf gegen Troeltsch zur Geltung. In KD I/1, 347 zitiert er: „Der Historismus ist ,das Selbstverständnis des Geistes, sofern es sich um die eigenen Hervorbringungen seiner in der Geschichte handelt' (E. Troeltsch, Ges. Schriften 3. Bd. 1922 S. 104)," und fährt dann fort: „Gut! Wer nicht nach Offenbarung fragt, dem bleibt wohl nicht Anderes übrig, als eben nach Mythus zu fragen ..., weil er danach fragen muß, weil der Mythus sein eigenes letztes Wort ist." Das sich gegeben wissende Selbstbewußtsein, das sich anders denn als Gegebenheit wissen will, wird sich weder an seinen Hervorbringungen als Gegebenheit durchsichtig, noch kann es seine Gegebenheit als Wahrheit explizieren. Mythologie ist sein eigenes letztes Wort über sich selbst, so wie es auch nur nach Mythologie fragen kann, wenn er seiner Gegebenheit als Wahrheit ansichtig werden möchte. Die Gegebenheit des Selbstbewußtseins kann als Gegebenheit nur in der Frage nach Offenbarung erfragt werden.

In seinem früheren Vortrag von 1922 realisiert Barth das Problem, daß das aufgeklärte ethische Bewußtsein seine Tätigkeit nur als die Tätigkeit des Jenseits selbst als Verwirklichung seiner selbst wissen kann, nicht aber, indem es die Gegebenheit des Selbstbewußtseins selbst verwirklicht, noch für sich selbst als „Das Problem der Ethik in der Gegenwart"[181].

„Wo einst ein Schleiermacher, ein Rothe, ein Troeltsch sich fast nicht zu helfen wußten vor dem Reichtum der mannigfachsten Lebensinhalte, vor der Aufgabe, doch ja der ganzen Fülle der Schöpfung und der Geschöpfe um jeden Preis gerecht zu werden, so gerecht, daß das Christentum mit seinen etwas andern Intentionen darüber in schwerste Wohnungsnot geriet, da können wir im Europäer der Neuzeit nicht mehr den reichen Mann, sondern nur noch den armen Lazarus sehen, da ist für uns die Sorge, wie die Ethik der Wahrheit des *Schöpfers* gerecht werden möchte, viel dringlicher geworden, da hat das Feld

---

181 AaO. 133.

der Ethik für uns zunächst das Bild eines modernen Schlachtfeldes gewonnen, dh. das ganze Vorfeld vor den eigentlichen Fronten ist erschreckend leer geworden.

Die Aufklärung vollzieht Barth damit zunächst in der Ausstellung eines Armutszeugnisses für das unaufgeklärte ethische Bewußtsein, doch werden von ihm im kämpferischen Vollzug der Aufklärung selbst noch die Schmerzen der Aufklärung erlitten. Er erkennt das Feld der Ethik, auf dem die Gegebenheit des christlichen Selbstbewußtseins als Gegebenheit ihre Gestalt hat, als leer, weil er dort die Gegebenheit des christlichen Selbstbewußtseins als verwirklichte und zu verwirklichende behauptet findet.

In seinem Vortrag: „Der heilige Geist und das christliche Leben"[182] von 1929 nimmt Barths Aufklärung des christlichen Selbstbewußtseins eine ausdrücklich dogmatische Gestalt an. Er wirft Troeltsch vor, er werde weder der Gnade Gottes noch der Sünde des Menschen inne, sofern er die Versöhnung als „,göttliche Gabe und menschlich schöpferische Tat in einem'" betrachte[183] und „das Böse aus dem Freiheits- und Werdecharakter des ethischen Geistes'" erkläre[184].

Weil Troeltsch die Gegebenheit des christlichen Selbstbewußtseins an diesem selbst unmittelbar identifiziert, kann seine Darstellung die Gegebenheit des Selbstbewußtseins als Gegebenheit nicht konsequent zur Darstellung bringen, sondern muß die Gnade auch in der schöpferischen Tat des Menschen als Gegebenheit identifizieren, wodurch sie nicht mehr als Gegebenheit gedacht ist, wie andererseits das Böse bei der Identifikation des Gegebenseins des Selbstbewußtseins an diesem selbst als aus dem Freiheits- und Werdecharakter des sittlichen Geistes stammend identifiziert werden muß. Das Böse ist ein Moment des sittlichen Geistes, der sich im Menschen selbst noch nicht ganz zur Gegebenheit gebracht hat. Von einem Standpunkt, der die Gegebenheit des christlichen Selbstbewußtseins als Gegebenheit zu denken vermag, ist dann diese Explikation der Gegebenheit des Selbstbewußtseins als theologische Abirrung zu identifizieren. Auf diesem Standpunkt wird dann, nun durchaus im Gegenzug, der schöpferischen Tat des Menschen bestritten, daß sie die Gegebenheit des Selbstbewußtseins zur Gegebenheit bringen könne, und das Böse wird zum Charakteristikum menschlicher

---

182 Vortrag, gehalten auf der theologischen Woche in Elberfeld am 9. Okt. 1929, erschienen in Beiheft 1 von „Zwischen den Zeiten" 1930 unter: Zur Lehre vom heiligen Geist, Karl und Heinrich Barth.
183 AaO. 62. Zitat aus Troeltschs Glaubenslehre, 343.
184 AaO. 63f. Zitat aus „Glaubenslehre", 306, vgl. auch Karl Barth, Theologiegeschichte des 19. Jahrh., 547.

Möglichkeiten schlechthin erklärt.

1953 greift Barth in KD IV/1, 423—427 seine Kritik von 1929 an Troeltsch nochmals in einer ausgedehnten Kritik an der von Troeltsch in seiner „Glaubenslehre" vorgetragenen Sündenlehre auf und nimmt dies zum Anlaß, seine Abkehr von Troeltsch „gegen Ende des zweiten Jahrzehnts unseres Jahrhunderts" zu begründen (427). Dabei zeigt seine Kritik, daß von Barth der von Troeltsch vertretene Standpunkt zwar verneint, aber nicht in sich aufgehoben ist. Barth kann Troeltsch nur den Abschied geben:

„Troeltsch war ein geistreicher und in seiner Weise auch frommer Mann. Beides ist ja auch von manchem seiner großen Vorgänger zu sagen. Es war aber offenkundig, daß die ‚Glaubenslehre' sich bei ihm in ein uferloses und unverbindliches *Gerede* aufzulösen im Begriff — daß die neuprotestantische Theologie überhaupt bei ihm bei allem hohen Selbstbewußtsein ihres Gehabes in die Klippen bzw. in den Sumpf geraten war. Weil wir da nicht mehr mittun konnten, sind wir gegen Ende des zweiten Jahrzehnts unseres Jahrhunderts aus diesem Schiff ausgestiegen! Es war zum Katholischwerden, wie denn die Freiin *Gertrud von le Fort,* der wir die posthume Redaktion und Herausgabe dieses Buches verdanken, tatsächlich ziemlich unmittelbar nach Abschluß dieser Arbeit katholisch geworden ist. Oder es mußte eben die ernsthafte theologische Arbeit von ganz anderswoher neu in Angriff genommen werden" (427).

Daß von Barth die „ernsthafte theologische Arbeit" nicht „von ganz anderswoher neu in Angriff genommen" wurde, sondern wie bei Troeltsch am Orte des gegebenen christlichen Selbstbewußtseins entworfen wurde, hat die obige Darstellung gezeigt. Sie hat auch gezeigt, warum sich im Urteil Barths seine eigene Theologie und diejenige Troeltschs wie „ernsthafte theologische Arbeit" und „*Gerede*" gegenüberstehen. Zu dieser Beurteilung durch Barth kommt es dadurch, daß das sich wissende christliche Selbstbewußtsein bei Barth eine neue Stufe seiner eigenen Erfassung erreicht. Indem es seine Gegebenheit nicht mehr unmittelbar an sich selbst identifiziert, sondern seine Gegebenheit als Gegebenheit an und für sich erfaßt, braucht es sich seiner Gegebenheit als Wahrheit nicht erst im Gedanken des Jenseits zu vergewissern, sondern ist sich gewiß, sie an und für sich zu haben. Dadurch aber erscheinen Barth dann alle jene Bemühungen Troeltschs, die die Gegebenheit des Selbstbewußtseins unmittelbar an diesem Selbst zu identifizieren versuchen, als unhaltbar. Sofern sie in der Konsequenz ihrer eigenen Durchführung dabei auf das Jenseits selbst zurückgreifen, wird dieser Rückgriff als Ausdruck der Inkonsequenz gedeutet und als Krise dieses Selbstbewußtseins selbst identifiziert. Barth stellt in einem fest, daß von Troeltsch „der Begriff ‚Neuprotestantismus' geprägt" wurde, und daß der Neuprotestantismus „bei ihm in eine *Krise* ge-

raten" sei (423). Die Aktualität der Wahrheit des christlichen Selbstbewußtseins, die von Troeltsch unter dem Namen Neuprotestantismus auf den Begriff gebracht wurde, wird von Barth damit gegen
sich selbst ausgespielt: „Troeltschs Glaubenslehre lebt davon, daß
er sich bewußt ist, der ‚heutigen' Gestaltung der christlichen Lebenswelt zu entsprechen" (424). Der Allgemeinheit der Wahrheit des
christlichen Selbstbewußtseins, die von Troeltsch im Begriff des
Jenseits gefaßt ist und auf die für ihn seine Glaubenslehre insofern
bezogen ist, als sie in praktischer Absicht entworfen ist (GS IV, 13),
wird von Barth bei ihm nicht mehr als vorhanden wahrgenommen.
Damit sind für Barth Troeltschs Bemühungen, die Gegebenheit des
Selbstbewußtseins als Gegebenheit zu explizieren, dh. die christliche Wahrheit als Wahrheit darzustellen, ist seine Glaubenslehre ge-
scheitert, „in den Sumpf" geraten. Der Vorwurf lautet, sie umgäbe
den eigenen Standpunkt sowohl dogmatisch wie auch historisch
nur mit dem Schein der Wahrheit. In seinem Verriß von Troeltschs
„Glaubenslehre" in KD IV/1 vollzieht Barth seine Abkehr von
Troeltsch literarisch mit der ganzen Selbstgefälligkeit des sich überlegen wissenden Selbstbewußtseins. Daß zu solcher Selbstgefälligkeit an und für sich kein Grund besteht, kann dadurch gezeigt werden, daß aufgezeigt wird, daß in der von Barth als inkonsistent beschriebenen „Glaubenslehre" Troeltschs an sich eine Konsistenz besteht, dann nämlich, wenn man sie als das nimmt, was sie als Glaubenslehre Troeltschs ist, Selbstdarstellung des aktuellen christlichen
Selbstbewußtseins. Indem Barth Troeltschs Glaubenslehre unter
dem Gesichtspunkt betrachtet, ob das christliche Selbstbewußtsein
dieser Darstellung zufolge seine Gegebenheit an und für sich als Gegebenheit wissen könne, entgeht ihm, daß das christliche Selbstbewußtsein bei Troeltsch *für sich* sehr wohl seine Gegebenheit als Gegebenheit weiß. Weil Barth aber dieses Moment für hinreichend beachtet hält, indem er Troeltsch als einen „in seiner Weise fromme(n)
Mann" würdigt (247), wird ihm seine eigene Sachlichkeit in der Weise zum Verhängnis, daß er die Konsistenz von Troeltschs Glaubenslehre als Inkonsistenz in den Blick bekommt und nur die Bestätigung erfährt, daß dieser Glaubenslehre zufolge das christliche Selbstbewußtsein seine Gegebenheit an und für sich nicht als Gegebenheit
wissen kann.
Zunächst zitiert Barth wie 1929 aus Troeltschs „Glaubenslehre"
jene Sätze, mit denen Troeltsch die aktuelle Gestalt des sich Gegebenseins des christlichen Selbstbewußtseins für dieses als Sünde charakterisiert. Sünde „ist ‚die trübe, geheimnisvolle, mysteriöse Seite
des Gedankens der Gottebenbildlichkeit' (S. 308)" (424). Troeltsch
realisiert damit, daß das christliche Selbstbewußtsein für sich von

der Verwirklichung seiner ursprünglichen Identität noch getrennt
ist, und erklärt in dieser Hinsicht die Sünde „aus dem ‚Freiheits-
und Werdecharakter' des sittlichen Geistes" (424). Barth identifiziert diese Ausführungen zurecht als Implikation jener Position, die
die Gegebenheit des Selbstbewußtseins unmittelbar an diesem selbst
identifiziert, und sieht Troeltsch in diesen Ausführungen an der Seite der „älteren Liberalen" (425). Dann aber stellt Barth bei Troeltsch
„die Geltendmachung ganz heterogener Gesichtspunkte" fest, durch
die „die an sich unverkennbare Hauptlinie bei ihm beständig durch-
kreuzt wird" (425). Daß diese heterogenen Gesichtspunkte für
Troeltsch nicht heterogen sind, soll nun an einem Beispiel verdeut-
licht werden. Barths Meinung nach kann Troeltsch nur „den Ast ab-
sägend, auf dem er sitzt!", feststellen, daß das „Sündengefühl ... erst
im Zusammenhang des *christlichen* Gottesgedankens entstehe
(S. 302)" (425). Indem Barth an Troeltschs Glaubenslehre mit der
Forderung herantritt, das christliche Selbstbewußtsein dürfe nicht
nur für sich seine Gegebenheit als Gegebenheit wissen, sondern müsse seine Gegebenheit an und für sich als Gegebenheit wissen, damit
es sie überhaupt als Gegebenheit wissen könne, entgeht ihm, daß
für Troeltsch selbst, in der Konsequenz seines eigenen Denkens, die
Sünde an und für sich erst im Blick auf den christlichen Gottesgedanken als Sünde gewußt wird. Weil für Troeltsch die Gegebenheit
des christlichen Selbstbewußtseins von diesem an und für sich nur
im Blick auf das Jenseits, auf den Gottesgedanken, und zwar, wegen der geschichtlichen Kontingenz des christlichen Selbstbewußtseins, im Blick auf den christlichen Gottesgedanken gewußt werden
kann, wird von ihm auch das „Sündengefühl" als Moment des sich
wissenden aktuellen christlichen Selbstbewußtseins als „erst im Zusammenhang des *christlichen* Gottesgedankens" entstehend bezeichnet. Das aktuelle christliche Selbstbewußtsein, dem seine Gegebenheit unmittelbar an sich selbst so bewußt ist, daß es diese noch
nicht voll zur Gegebenheit gebracht hat, wird sich dieses Defizits
seiner eigenen Verwirklichung erst im Gedanken des Jenseits
selbst, im Gottesgedanken, als seines Defizits inne, so daß ihm
an und für sich erst im Gottesgedanken seine Sünde als seine
Sünde aufgeht.
Wir explizieren die These, daß Barth als Aufklärer wohl Troeltschs
Position verneint, sie aber nicht in sich aufnimmt, noch an einem
anderen Beispiel, um von dort aus versuchsweise die Wahrheitsmo-
mente beider Positionen zu vereinen. In seinem Vortrag: „Der heilige Geist und das christliche Leben" kommt Barth in einer Fußnote, wo er über Heiligung und Gehorsam spricht, auf Troeltsch zu
sprechen:

136

„Man kann den Begriff der Heiligung dahin zusammenfassen, daß uns als denen, denen Gott vergibt, durch denselben Gott Widerspruch widerfährt, radikaler und kräftiger, dh. unsern Widerspruch gegen ihn widerlegender, zur Unwahrheit machender Widerspruch, die große höchst positive, höchst notwendige und fruchtbare Störung unserer Existenz dadurch, daß wir als *Glaubende*, als Hörer des Wortes Gottes existieren und eben als solche nicht anders können als seine Täter sein. Hier entsteht das Problem des christlichen *Gehorsams*. (91) Weichen wir denn dem göttlichen Widerspruch? Lassen wir uns denn die große Störung gefallen? Lieben wir denn Gott und unseren Nächsten? Bringen wir uns denn selbst zum Opfer und dienen wir denn wirklich? Hier ist darum ein Problem, weil wir nicht anders können als uns als Hörer des Wortes auch als Täter, als wirklich Geheiligte und also als im Gehorsam Stehende zu begreifen und weil uns andererseits dieser unser Gehorsam ebenso schlechthin verborgen ist wie unser Glaube als Buße und als Vertrauen, weil dieser unser Gehorsam uns niemals auch nur teilweise eindeutig als solcher anschaulich wird, weil auch das: *daß* und *wie* die Gnade für uns *wirklich* ist, verhüllt ist in der Finsternis des Glaubens, in der nur das Wort selbst das Licht ist" (84—86).

Barths Fußnote (91) zu dem Satz: „Hier entsteht das Problem des christlichen *Gehorsams*" lautet: „Daß man hier freilich auch *kein* Problem sehen kann, mögen folgende Stimmen zeigen: ... im religiös-sittlichen Prozeß löst sich der kreatürliche Geist von der Naturbedingtheit los und wächst in ihm immer mehr in das göttliche Geistesleben der Vernunft hinein: (Troeltsch, Glaubenslehre, S. 381) ..." (85 Anm. 91). Barth führt in der Entfaltung seiner Position Gründe dafür an, warum aus dem von ihm gedachten Begriff der „Heiligung" als „Störung" an bestimmter Stelle „das Problem des Gehorsams" entsteht. In Beziehung auf Troeltsch stellt er aber nur fest, daß der „hier *kein* Problem sehen kann". Diese Feststellung ist insofern Ausdruck dafür, daß Barths Kritik die Position Troeltschs nicht in sich aufgenommen hat, sondern sie bloß verneint, als er nur feststellt, daß Troeltsch das Problem, das er sieht, nicht sieht. Daß Troeltsch „hier *kein* Problem sehen kann", weil er „hier kein Problem sehen *kann*", weil es für ihn dieses „*hier*" nicht gibt, wird von Barth nicht erhellt. Es gibt für Troeltsch dieses *hier* nicht, weil er die Gegebenheit des christlichen Selbstbewußtseins unmittelbar an diesem selbst identifiziert, es auf der von ihm repräsentierten Stufe des sich wissenden christlichen Selbstbewußtseins also kein Differenzproblem und darum auch kein Gehorsamsproblem in dem von Barth bezeichneten Sinne gibt. Erst im Vollzug seiner Aufklärung entsteht für das sich wissende christliche Selbstbewußtsein das Gehorsamsproblem als Problem im Sinne Barths. Indem dem sich wissenden Selbstbewußtsein bewußt wird, daß es seine Gegebenheit nur so wissen kann, daß es sie als Gegebenheit weiß, kann es sein Handeln nicht mehr unmittelbar als Gehorsam identifizieren. Sein

Gehorsam wird ihm zum Problem. Sein Gehorsam wird ihm darum zum Problem, weil es sich in seinem Handeln nicht mehr als Gegebenes wissen kann, sich aber gleichwohl als es selbst handelnd weiß. So ist das Resultat für das sich als Gegebenes wissende Selbstbewußtsein, daß es sich als es selbst in seinem Handeln schlechterdings verborgen ist und nur in dieser schlechthinnigen Verborgenheit gehorsam handelt.

Damit aber bringt Barths Aufklärung dem christlichen Selbstbewußtsein, das wie bei Troeltsch seine Gegebenheit unmittelbar an sich selbst identifiziert und seine Gegebenheit im Gedanken des Jenseits selbst als Wahrheit erfaßt, zum Bewußtsein, daß es seine Gegebenheit unmittelbar nur so an sich selbst identifizieren kann, daß es auf sich als sich wissendes Selbstbewußtsein in seiner aktuellen Gestalt verzichtet, da es erst dann in seiner aktuellen Gestalt seine Gegebenheit zur Gegebenheit bringen und seine Gegebenheit an und für sich als seine Gegebenheit wissen kann. In solcher Reflexion kann dann das Handeln ganz allgemein als die Weise gewußt werden, in der sich die Gestaltwerdung des christlichen Selbstbewußtseins in der Welt vollzieht. Hier liegen dann die Möglichkeiten begründet, daß sich ein Rechts- und ein Linksbarthianismus entwickelt. Bringt der Rechtsbarthianismus das Moment zur Geltung, daß sich das christliche Selbstbewußtsein in seinem Handeln als es selbst schlechterdings verborgen ist, so hängt der Linksbarthianismus dem Moment an, daß sich im Handeln die Gestaltwerdung des christlichen Selbstbewußtseins als Gegebenheit vollzieht. Beide Positionen klären sich nur solange gegenseitig nicht ab, sondern bleiben im Gegensatz fixiert, wie sie versuchen, entweder das Handeln oder die Bewußtmachung der Verborgenheit des christlichen Selbstbewußtseins unmittelbar als die Gestalt seiner eigenen Verwirklichung zu identifizieren.

Daß obiger Schluß nicht hinter Barths und Troeltschs Interesse zurückgeht, sondern tatsächlich Troeltschs und Barths Interesse an einer Gestaltwerdung des christlichen Selbstbewußtseins und damit an seiner universalen Wahrheit aufnimmt, kann für Barth noch durch ein Zitat aus KD IV/2 wahrscheinlich gemacht werden, in dem Barth in Anspielung auf den von ihm 1919 von Troeltsch aufgegriffenen Satz, schreibt: „Die Liebe ist das *Kontinuum* zwischen Jetzt und Dann, zwischen ‚Diesseits‘ und ‚Jenseits‘. Sie ist wohl nach Troeltschs berühmtem Satz: die Kraft des Jenseits, die als solche die Kraft des Diesseits ist" (949).

Von hier aus kann auch die von Troeltsch am Schluß seiner „Soziallehren" bezeichnete „Krisis der bisherigen christlichen Ethik" (GS I, 976) in der Neuzeit als Krisis desjenigen Selbstbewußtseins identifi-

ziert werden, das seine Gegebenheit unmittelbar an sich selbst identifiziert und seiner Gegebenheit als Wahrheit im Gedanken des Jenseits ansichtig wird, so daß nach der von Barth vollzogenen Aufklärung das christliche Selbstbewußtsein als zu einer selbstbewußten
Wahrnehmung der Aufgaben seiner eigenen neuzeitlichen Gegenwart befreit betrachtet werden kann. Sofern Troeltschs „Soziallehren der christlichen Kirchen und Gruppen" die Verwirklichung des
christlichen Selbstbewußtseins in der Welt beschreiben, sind sie eine
Darstellung der Gestaltwerdung des christlichen Selbstbewußtseins
in historischer Objektivität. In Christus erfaßt sich das christliche
Selbstbewußtsein als Prinzip seiner eigenen Verwirklichung. „Der
religiöse Lebenswert ist ihm", schreibt Troeltsch über Jesus, „ein
und alles; in ihm geht sein ganzes Wesen und Denken auf" (GS I,
33). Dieser christologische Satz erweist die Christologie Troeltschs
als Konstrukt jenes Selbstbewußtseins, das seine Gegebenheit unmittelbar an sich selbst identifizieren zu können meint. Für das
christliche Selbstbewußtsein, das die unbedingte Verwirklichung
des ihm eigenen Prinzips für sich selbst noch erwartet, ist auch Jesus nicht der religiöse Lebenswert selbst, sondern er ist der, der darin aufgeht. Die geschichtlichen Epochen der Gestaltwerdung des
christlichen Selbstbewußtseins, die Troeltsch in seinen „Soziallehren" markiert, können dann als Projektion seiner einzelnen Momen-
te beschrieben werden. Das Christentum tritt nach Troeltsch mit
einem „an sich völlig radikalen und revolutionären Prinzip des unbedingten Individualismus und Universalismus" (72) an, das als solches in der „rein religiösen Predigt" Jesu wurzelt (34). In seinem ersten Hervortreten zeigt es sich jedoch zuerst noch in völliger Vermittlungslosigkeit, allein am Christentum. Der erste Schritt, den
das Christentum nach Troeltsch mit und neben Paulus vollzieht,
liegt darin, daß es sich „als selbständige Religionsgemeinschaft"
(58) formiert. Darin realisiert es das ihm eigentümliche Prinzip zwar
an sich, an und für sich aber eben noch nicht: „Die sehr allgemeine
Individualitätsidee und die sehr freie und bewegliche Gemeinschaftsidee bekommen eine starke Zuspitzung und Verengung" (59). Nach
innen führt es weitgehend die Liebesidee durch, nach außen aber
bleibt alles verbal und innerlich als „Mission und Bekehrung" (60),
so daß damit über den „konservative(n) Charakter des Christentums
gegenüber allem politisch-sozialen Wesen auf lange Zeit hinaus entschieden" ist (72). Den zweiten Schritt, der über den ersten wirklich hinausführt, identifiziert Troeltsch im Calvinismus. In ihm erreicht das christliche Selbstbewußtsein eine neue Stufe seiner eigenen Gestaltwerdung, indem es „die sozialen Ordnungen positiv als
Unterlage und Vorform der Erreichung des höchsten religiös-ethi-

schen Zieles zu gestalten" unternimmt (72). Dem christlichen Selbstbewußtsein, das seine Gegebenheit unmittelbar an sich selbst identifiziert und seine Gegebenheit als Wahrheit im Gedanken des Jenseits oder des Gottesreiches der Zukunft als Wahrheit weiß, kommt in der Konsequenz dieses Schrittes dann aber zum Bewußtsein, daß es sich, indem es sich verwirklicht, als es selbst faktisch in Abhängigkeit begibt, seiner selbst nicht mehr sicher sein kann. Diese Verunsicherung des christlichen Selbstbewußtseins identifiziert Troeltsch als den Eintritt des Christentums in die moderne Welt. Seit dem 18. Jahrhundert „unterliegt ... die Sozialphilosophie der christlichen Gruppen einer unübersehbaren Zerteilung und einer immer wechselnden Abhängigkeit" (965). Die christlichen „Soziallehren" verlieren für Troeltsch ihre Darstellbarkeit. Das christliche Selbstbewußtsein ist sich faktisch selbst in seiner Verwirklichung verborgen. Weil sich das christliche Selbstbewußtsein, das seine Gegebenheit unmittelbar an sich selbst identifiziert, und seine Gegebenheit als Wahrheit im Gedanken des Jenseits weiß, sich in seiner Verwirklichung nicht mehr unmittelbar als es selbst erkennen kann, muß es ihm scheinen, es sei in seine Anfangszeit zurückgeworfen, in der „eine innere Verbindung und Kontinuität zwischen den allgemeinen politischwirtschaftlich-sozialen Zuständen und den Werten des persönlichen Lebens nicht gesucht und nicht gefunden" wurde (80). Ihm scheint, es sei in „der modernen Welt der Zwiespalt wieder aufgeklafft" (15). Weil es die Gegebenheit seines Selbstbewußtseins unmittelbar an sich selbst identifiziert, weiß es sich dann gegenüber der modernen Welt selbst als konservativ, tatsächlich aber wahrt es darin nur dasjenige Moment, daß sich das christliche Selbstbewußtsein um seiner Verwirklichung willen nicht unmittelbar verwirklichen wollen darf. Wird dieses Moment bei ihm aufgeklärt, ist es befreit zur bewußten Wahrnehmung der Aufgaben seiner Zeit, so daß über den Zusammenhang von Troeltsch und Barth in theologiegeschichtlicher Hinsicht gegenwärtig gesagt werden kann, in ihm sei der Kulturprotestantismus in der Weise in die Krise geraten, daß in dieser Krise das neuzeitliche Christentum zur Entfaltung seiner Wahrheit als allgemeiner gelangte.

LITERATURVERZEICHNIS

Anfänge der dialektischen Theologie I: Karl Barth – Heinrich Barth – Emil Brunner, hg. von J. Moltmann (ThB 17), München 1966 (1. Aufl. 1962) (zit.: Anfänge I).

Anfänge der dialektischen Theologie II: Rudolf Bultmann – Friedrich Gogarten – Eduard Thurneysen, hg. von J. Moltmann (ThB 17), München 1967 (1. Aufl. 1962) (zit.: Anfänge II).

U. von Balthasar, Karl Barth. Darstellung und Deutung seiner Theologie, Köln 1962[2] (1. Aufl. 1951).

K. Barth, Antwort an D. Achelis und D. Drews, ZThK 19, 1909, 479–486.

– Antwort an Paul Jaeger, ChW 38, 1924, 626–628.

– Die christliche Dogmatik im Entwurf I: Die Lehre vom Worte Gottes. Prolegomena zur christlichen Dogmatik, München 1927 (zit.: CD).

– Die kirchliche Dogmatik I–IV, Zürich 1932ff.

– Der christliche Glaube und die Geschichte, SThZ 29, 1912, H. 1/2, 1–18, 49–72 (zit.: Gl. u. Gesch.).

– „Die Hilfe" 1913. Grundsätzliches Votum, ChW 28, 1914, 774–778.

– „M. Klötz: Was sollen wir tun? Ein Laienvotum zur gegenwärtigen Krisis in der evangelischen Kirche, Leipzig 1908", Besprechung in: ChW 23, 1909, 236f.

– / H. Barth, Zur Lehre vom heiligen Geist, Karl Barth und Heinrich Barth, ZZ, Beiheft 1.

– Menschenwort und Gotteswort in der christlichen Predigt, ZZ 3, 1925, 119–140.

– Der Römerbrief, Bern 1919[1] (zit.: Röm[1]).

– Der Römerbrief, Zürich 1967, zehnter Abdruck der neuen Bearbeitung, 1922 (zit.: Röm[2]).

– Die Theologie und die Kirche. Gesammelte Vorträge II, München 1928 (zit.: Vorträge II).

– Die protestantische Theologie im 19. Jahrhundert. Ihre Vorgeschichte und Geschichte, Zürich 1960[3] (1. Aufl. 1946).

– Moderne Theologie und Reichgottesarbeit, ZThK 19, 1909, 317–321, 479–486.

– Rudolf Bultmann, Briefwechsel 1922–1966, hg. von B. Jaspert (KBG V/1), Zürich 1971 (zit.: Werke V/1).

– Eduard Thurneysen, Briefwechsel I, 1913–1921, bearb. u. hg. von E. Thurneysen (KBG V/3), Zürich 1973 (zit.: Werke V/3).

– Eduard Thurneysen. Briefwechsel II, 1921–1930, bearb. u. hg. von E. Thurneysen (KBG V/4), Zürich 1974 (zit.: Werke V/4).

– Das Wort Gottes und die Theologie. Gesammelte Vorträge, München 1924 (zit.: Vorträge I).

W. Bodenstein, Neige des Historismus – Ernst Troeltschs Entwicklungsgang, Gütersloh 1959.

K. Bornhausen, Das religiöse Apriori bei Ernst Troeltsch und Rudolf Otto, Zeitschrift für Philosophie und philosophische Kritik 139, 1910, H. 2.

R. Bultmann, Die Bedeutung der Eschatologie für die Religion des Neuen Testaments, ZThK 27, 1917.

— Glauben und Verstehen. Gesammelte Aufsätze, Tübingen 1933 (Teilsammlung).

— „A. von Harnack: Dogmengeschichte, 3. Aufl. 1916", Besprechung in: ChW 30, 1916, 526.

— Urchristliche Religion. Bericht über die Literatur 1919—1925, Archiv für Religionswissenschaft 24, 1926, 83—164.

— Religion und Sozialismus, Sozialistische Monatshefte 28, 1922, Bd. 58, 442—447.

— Urchristentum und Staat, Mitteilungen des Universitätsbundes Marburg, 1928, Nr. 19, 1—4.

— Urgemeinde, RGG2 V, 1414.

— Die evangelisch theologische Wissenschaft in der Gegenwart, Abendblatt der Frankfurter Zeitung vom 27. September 1926 und 11. Oktober 1926.

G. Dehn, Die alte Zeit — die vorigen Jahre. Lebenserinnerungen, München 1962.

G. Ebeling, Wort und Glaube, Tübingen 19622 (1. Aufl. 1960).

W. Feurich (Hg.), Karl Barth. Klärung und Wirkung. Zur Vorgeschichte der ‚Kirchlichen Dogmatik' und zum Kirchenkampf, Berlin 1966.

D. Fricke (Hg.), Die bürgerlichen Parteien in Deutschland I, Berlin 1968.

R. Gaede, Kirche — Christen — Krieg und Frieden. Die Diskussion im deutschen Protestantismus während der Weimarer Zeit, Hamburg-Bergstedt 1975.

H. Gollwitzer, Krummes Holz — aufrechter Gang. Zur Frage nach dem Sinn des Lebens, München 19713 (1. Aufl. 1970).

Th. Häring, Ein Wort zu „Glaube und Geschichte" und zum „religiösen Apriori", ChW 24, 1910, 1106—1110.

W. Herrmann, Gesammelte Aufsätze, hg. von F.W. Schmidt, Tübingen 1923.

— Dogmatik, Gotha 1926.

— „E. Troeltsch: Die Bedeutung der Geschichtlichkeit Jesu für den Glauben, Tübingen 1911", Besprechung in: ThLZ 37, 1912, 245—249.

Th. Heuss, Friedrich Naumann. Der Mann, das Werk, die Zeit, Stuttgart 19492.

P. Jaeger, Zur Jenseitsfrage, ChW 38, 1924, 579f.

— An Karl Barth, ChW 38, 1924, 771—773.

E. Jüngel, Gottes Sein ist im Werden. Verantwortliche Rede von Gottes Sein bei Karl Barth, Tübingen 19672 (1. Aufl. 1965).

W. Kasch, Die Sozialphilosophie von Ernst Troeltsch (BHTh 34), Tübingen 1963.

E. Kirsch, Zum Problem der Ethik in der kritischen Theologie Karl Barths, Diss. Bonn 1972.

K. Kupisch, Karl Barth in Selbstzeugnissen und Bilddokumenten (Rowohlts Monographien 174), Hamburg 1971.

W.I. Lenin, Briefe V, Berlin 1968.

F.W. Marquardt: Theologie und Sozialismus. Das Beispiel Karl Barths (Gesellschaft und Theologie — Systematische Beiträge 7), München 1972.

– Zu-Sätze zu Falk Wagners Aufsatz: ,Gehlens radikalisierter Handlungsbegriff', Karl Barth betreffend, ZEE 17, 1973, 230–237.

F. Naumann, Weihnachten 1914, Die Hilfe 20, 1914, 848f.

W. Ogletree, Christian Faith and History. A Critical Comparison of Ernst Troeltsch and Karl Barth, New York 1965.

E. Overbeck, Christentum und Kultur. Gedanken und Anmerkungen zur modernen Theologie aus dem Nachlaß herausgegeben von C.A. Bernoulli, Basel 1919, Nachdruck Darmstadt 1963 (zit.: Ov.)

T. Rendtorff, Kirche und Theologie. Die systematische Funktion des Kirchenbegriffs in der neueren Theologie, Gütersloh 1966.

– Theorie des Christentums. Historische theologische Studien zu seiner neuzeitlichen Verfassung, Gütersloh 1972.

H. Schindler, Barth und Overbeck. Ein Beitrag zur Genesis der dialektischen Theologie im Lichte der gegenwärtigen theologischen Situation, Gotha 1936.

G. Schmidt, Deutscher Historismus und der Übergang zur parlamentarischen Demokratie. Untersuchungen zu den politischen Gedanken von Meinecke, Troeltsch, Max Weber (Historische Studien, 119), Lübeck 1964.

R. Smend, Nachkritische Schriftauslegung, in: Parrhesia. Festschrift für Karl Barth, Zürich 1966, 215–237.

K.G. Steck / D. Schellong, Karl Barth und die Neuzeit (ThEx 173), München 1973.

Stier, An die Freunde der christlichen Welt, ChW 39, 1925, 624.

E. Troeltsch, Die Absolutheit des Christentums und die Religionsgeschichte und zwei weitere Schriften zur Theologie, hg. von T. Rendtorff (Siebenstern Tb 138) München 1969.

– Politische Ethik und Christentum, Göttingen 1904.

– Friede auf Erden, Die Hilfe 20, 1914, 833f.

– Geschichte und Metaphysik, ZThK 8, 1898, 1–69.

– Glaube, RGG[1] II, 1437–1457.

– Glaubenslehre, nach Heidelberger Vorlesungen aus den Jahren 1911/1912 posthum hg. von G. von le Fort, München 1925.

– Heilstatsachen, RGG[1] II, 2066f.

– Das Historische in Kants Religionsphilosophie. Zugleich ein Beiträg zu den Untersuchungen über Kants Philosophie der Geschichte, Berlin 1904.

– „F. Overbeck: Christentum und Kultur. Gedanken und Anmerkungen zur modernen Theologie aus dem Nachlaß hg. von C.A. Bernoulli, Basel 1919", Besprechung in: HZ 122, 1920, 279–287.

– Postkarte von E. Troeltsch an K. Barth vom 26.4.1912, Karl Barth Archiv, nicht veröffentlicht.

– Psychologie und Erkenntnistheorie in der Religionswissenschaft, Tübingen 1905.

– Religionsphilosophie, in: Die Philosophie im Beginn des 20. Jahrhunderts. Festschrift für Kuno Fischer, Heidelberg 1904.

– Die Soziallehren der christlichen Kirchen und Gruppen = Gesammelte Schriften I, Tübingen 1912 (zit.: GS I).

– Zur religiösen Lage. Religionsphilosophie und Ethik = Gesammelte Schriften II, Tübingen 1913 (zit.: GS II).

— Der Historismus und seine Probleme. Erstes Buch: Das logische Problem der Geschichtsphilosophie = Gesammelte Schriften III, Tübingen 1922 (zit.: GS III).
— Aufsätze zur Geistesgeschichte und Religionssoziologie, hg. von H. Baron = Gesammelte Schriften IV, Tübingen 1925 (zit.: GS IV).
— Die Selbständigkeit der Religion, ZThK 5/6, 1895/1896, 361—436 und 71—110, 167—218.
— Vernunft und Offenbarung bei J. Gerhard und Melanchthon. Untersuchung zur Geschichte der altprotestantischen Theologie, Diss. Göttingen 1891.
F. Wagner, Gehlens radikalisierter Handlungsbegriff. Ein theologischer Beitrag zur interdisziplinären Forschung, ZEE 17, 1973, 213—229.
P. Wernle, Einführung in das theologische Studium, Tübingen 1911.
— „E. Troeltsch: Die Soziallehren der christlichen Kirchen und Gruppen, Tübingen 1912", Besprechung in: ZThK 22, 1912.
B. Wielenga, Lenins Weg zur Revolution, München 1971.